博　物　館　學　系　列　叢　書

當我們同在一起：
博物館友善平權實踐心法

We are Here in Museums :
Practice of Accessibility and Social Inclusion

主編：陳佳利

作者：林頌恩、袁緒文、陳彥亘、蘇慶元、鄭邦彥、辛治寧、羅欣怡、趙欣怡、陳詩翰、廖福源、
吳家琪

藝術家

目　錄

序 ——
莫道桑榆晚，為霞尚滿天

　　博物館是各方知識聚集與展現之處，其責任與使命，為社會大眾所期待。當博物館在公眾生活中佔有一定的影響力之際，也意味著博物館所發揮的能量不容小覷。數位時代的博物館經營與管理，迎向了溝通、行銷與多元的角色功能。

　　博物館的類型多元，並沒有一致的規範，但博物館促進社會大眾的使用、增進知識與提升生活品質，使大眾體悟生命的意義與生活幸福等價值，則是博物館人的共同目標。這是一項重大的人文工程，必須仰賴熱心且專業的博物館人全心的投入，才能得到成效、並獲得大眾的支持。

　　嚴格來說，博物館從業人員，並非從學校教育養成的，而是在博物館的每日實踐中培養而來。相關博物館課程的學習只是基礎。當然基礎越穩，在工作上較能進入狀況，並不保證在博物館能得心應手；必須在博物館場域中，從工作學習、求取經驗，不斷接受不同的工作任務，才能發揮專長潛力。

　　隨著時代的進步與科技的發展，博物館有了更大的發展空間，但對博物館從業人員而言，同時必須快速、積極主動獲取新知，以滿足博物館成長上的需求與各方的期待。不過，臺灣相當缺乏系統性的博物館教材與書籍，提供博物館人在職學習之需

要，因此這套博物館學系列叢書的出版，適時滿足了這些需求，讓博物館從業人員能快速的掌握，博物館各個領域的專業知識。

謝謝陳尚盈、陳佳利、施承毅、林詠能、徐典裕與曾信傑多位博物館學教授的鼎力支持，與數十位學者、專家的參與撰稿，共同促成系列叢書的出版。這套書籍涵蓋了博物館的各個專業領域，從博物館政策與友善平權，到展覽規劃實務、觀眾研究、數位博物館與博物館第一線的管理議題等，從政策、理念與實務，有全面且深入的探討。

個人以博物館人為終身職志，退休之後能再促成本叢書的付梓，正象徵著薪火相傳，一代接一代的寓意。本叢書是博物館從業人員在職教育極佳的工具書，也是一份珍貴的生日禮物。

總編輯序 ──
承先啟後，繼往開來

博物館訴說著國家、土地與人民的故事；緊密連接著彼此共同的過去、現在與未來，並一代代的傳承。博物館也是激發靈感與創意之源泉，透過館內外不同形式與內容的展覽，與各式各樣的教育活動，滿足民眾的學習需求。

臺灣目前約有近 600 所不同規模、型態與主題的博物館，提供了民眾教育、學習、娛樂、休閒上的各項需求。依政府統計顯示，我國每二位民眾，即有一人在過去一年中，至少參觀過博物館與美術館一次以上，顯示博物館已是民眾重要的文化與休閒活動選擇。臺灣博物館擁有如此巨大的活力與影響力，是博物館從業人員數十年來競競業業，努力付出所累積的成果。

黃光男教授為我國博物館學泰斗，歷任臺北市立美術館館長、國立歷史博物館館長、國立臺灣藝術大學校長、行政院政務委員與臺南市美術館董事長等職。黃教授勤於創作、著作等身，且在數十年博物館生涯中，培養出許多博物館的專業人才。適逢黃光男教授八十大壽，為表達祝賀與對教授在臺灣博物館界多年貢獻的敬意，由主編群發起，集結數十位國內外博物館學不同領域重要的專家、學者與博物館從業人員，撰寫博物館

學核心議題的研究與個案精華,作為未來博物館界教科書導向的參考書籍。

　　博物館學系列叢書包含了博物館政策、友善平權議題、策展規劃、觀眾研究、智慧博物館與博物館管理等六大主題,希冀對博物館學相關議題進行完整的論述,以彰顯黃光男教授長期以來在博物館界與學術作育英才之重大成就。博物館學系列叢書的順利出版,要特別感謝陳佳利、陳尚盈、徐典裕、曾信傑、施承毅等多位主編二年來的投入,從專題構思、邀稿、審查與書籍設計等所付出的巨大心力;同時謝謝財團法人富邦藝術基金會聽聞系列叢書的出版計畫後,所給予經費的大力支持,也謝謝藝術家出版社與編輯群的協助,使叢書順利出版。

總編輯 林詠能

主編序 ——
當我們同在一起

　　本書收錄國內致力於推動友善平權實務工作者的文章，呈現近年來臺灣博物館推動友善平權的多元關懷與實踐心法。傳統上，我們思考博物館如何實踐友善平權時，就會想到身心障礙團體，以及如何提供他們參觀的可及性及各項服務；然而，本書的關注範疇不限於此，而是以更寬廣的視野，思考臺灣社會各種處在弱勢或不利處境的族群與團體，他們所遭遇的歧視與不平等，以及如何透過博物館的展覽與教育活動等機制與資源，促進社會觀念的改變，以朝向真正互敬、互重及平等的理想社會。

　　因此，本書區分為兩大主題來探討臺灣的博物館對友善平權的實踐與反思。首先，「多元文化與博物館」主題旨在關懷不同族群、性別認同與生命處境的社群，並邀請五位來自博物館與戲劇界的實務工作者，將他們多年來的工作經驗與關懷，透過論文進行分享與反思。例如，林頌恩闡述她近年來與原住民社群共同策展的經歷與心法，並提出合作策展的具體方法；袁緒文則探討臺博館如何與來自東南亞的新住民合作與規劃導覽，並將彼此的互動與挑戰，進行深入的剖析。而針對青少年議題，陳彥亘以故宮規劃矯正機關青少年活動為例，說明如何透過博物館的文物與策展活動，讓處在社會邊緣的青少年得以肯定與發展自身的價值與興趣。蘇慶元則以戲劇工作者的角度，鉅細靡遺地分享他如何與史前館合作規劃安置機構青少年戲劇活動，他從劇本的發想、戲劇與博物館元素的導入及如何引發參與者的同理心與情感投入等，都有很精彩的描述。最後，鄭邦彥以國內外展覽案例，多角度地思考多元性別議題以及如何「以策展孵化平等」，而這也是本書關注的核心焦點，透過博物館的機制，共同合作、孕育、孵化及實踐與推動平權。

　　其次，是「無障礙博物館」主題，這部分內容除了關注身心障礙者的文化平權外，也特別加入近年來日益受到關注的高齡課題。首先，辛治寧介紹國內外文化機

構如何協力、規劃各種促進創意老化的活動,並分享她對臺灣第一屆創齡藝術節的獨特觀察與建議。接著,羅欣怡回顧臺灣歷史博物館如何從政策及諮詢身心障礙代表等多個面向實踐友善平權,尤其是開發智能障礙者易讀本的過程與心得,可成為各館所之參考。接著,趙欣怡將國美館如何藉由諮詢與不斷思考如何貼近視障者的需求,讓他們能夠透過多元感官與觸覺來欣賞美術作品。

上述論文呈現了臺灣博物館實務界關懷友善平權的豐碩成果,然而,如果我們只是從博物館的角度來思考身心障礙議題,不免有所侷限,也無法深入瞭解他們所承受的偏見、感受與需求。因此,本書特別邀請聽障導覽員及社工人員,分享他們參與導覽與策展的經歷,希望從不同的角度貼近與反思博物館的友善平權實踐。身為聽障藝術教師,陳詩翰深刻了解聽障者參觀美術館所面臨的挑戰,因此他詳細分享如何準備各種教具與視覺圖像來進行導覽,以發揮聽障者視覺為主的優勢智能;而廖福源、吳家琪則透過會員參與策展過程,提出如何透過展覽呈現精神疾病經驗者文化及其主體性、促進社會大眾的理解以扭轉偏見,並省思策展倫理及社會工作者的角色與侷限。

十篇不同的主題論文,豐富了我們對博物館促進友善平權的想像與取徑,並提出實踐的關鍵在於互為主體性、互相關照,尊重彼此的需求、觀點與文化;因此,當我們同在一起、共同努力,就是博物館實踐友善近用、文化平權的基石。

主編 陳嘉翎

作者簡歷

林頌恩 Sung-En LIN / Lîm, Siōng-un

國立臺灣史前文化博物館展示教育組副研究員，國立東華大學族群關係與文化學系博士候選人。喜歡認識並身處不同族群及文化當中，也一直在練習不要變成白目的人。千禧年來到臺東後，開始關注博物館與部落、與原住民群體之間如何發展合作的各種可能性。多與屏東、花蓮、臺東部落及原住民文物館合作策劃在地主題特展、部落文史調查編輯出版等，參與部落青年培力及陪伴。熱愛各種部落美食及小旅行，覺得結合人才培訓、文史解說、特展操作與美食的基地運作，能夠促進在地文化多元立體化感知分享的可能。

袁緒文 Hsu-Wen YUAN

現任國立臺灣博物館研究助理，於 2014 年進入國立臺灣博物館服務，承接館內文化平權業務中的「新住民服務大使暨文化平權專案」。2015 年完成新住民服務大使專案上線，使臺博館成為國內第一個提供東南亞語導覽之國立博物館，並於 2017 年擔任「南洋味・家鄉味」特展共同策展人。自 2015 年至今，透過新住民服務大使協助並與「海外印尼僑民協會」、「印尼國立空中大學」、東南亞各國在臺移民工社群及東南亞各領域學者共同辦理系列節慶、展演、工作坊與講座。結合新住民服務大使專案平台與東南亞在臺社群，進一步連結其母國中各領域人士，共同策展、辦理講座、協助典藏詮釋研究。期待逐步促成臺灣社會內的多元平權與文化近用之實踐。

陳彥亘 Yen-Hsuan CHEN

現任國立故宮博物院助理研究員，英國倫敦大學博物館學碩士。自 2008 年起任職於國立故宮博物院教育部門，負責外展活動設計執行及教育巡迴展規劃製作，為故宮「郎世寧・到此藝遊」教育巡迴展、「藝術陪伴計畫」、「聽見上河的聲音」非典型教育展策展人、及「未來・不期而遇」形象短片規劃製作，歷年研究方向為博物館低度參與觀眾教育推廣及另類策展與實踐。近年服務對象包含偏鄉離島社區民眾及學校師生、青少年收容人、中輟復學生及安置機構青少年等，致力與跨領域專業師資合作轉化故宮文物素材，連結當代生活及開啟跨文化對話，透過展覽及教育活動促進社會邊緣團體近用博物館資源，發揮博物館作為不同社群對話平台的潛力。

蘇慶元 Ching-Yuan SU

畢業於英國倫敦中央戲劇與語言學校戲劇與動作治療碩士，現為戲劇治療與戲劇教育工作者。專長為戲劇治療、動作治療、戲劇教育、一人一故事劇場、劇場編導、神話劇場；並對於歷史、文化、神話、儀式等元素對於現代心靈的療癒作用，有極高的興趣。曾任伯大尼兒少家園戲劇輔導督導、臺安醫院表達性藝術治療中心臨床戲劇治療師、臺灣一人一故事劇場協會理事長；現任聖文生發展中心、愛家發展中心、世界展望會戲劇治療師，並於臺北藝術大學、臺灣藝術大學擔任兼任講師，同時為桃源國小駐校藝術家。一直試著將戲劇帶離劇場，走入學校、走入智能障礙者、走入特殊青少年、走入早療兒童、走入部落、走入博物館……並相信，戲劇除了美學以外，還充滿著教育與治療的可能性，並能夠讓這個世界變得好一點點。

鄭邦彥 Pang-Yen CHENG

現任國立故宮博物院登錄保存處副研究員，負責藏品徵集與登錄、典藏系統管理及國際借展等業務。國立臺北藝術大學藝術史研究所、輔仁大學博物館學研究所雙碩士，國立東華大學多元文化教育研究所博士。近期研究興趣在於：博物館藏品登錄管理、性別與博物館多元文化教育、博物館永續經營與環保等議題。自 2013 年起，於國立臺南藝術大學藝術史學系擔任兼任助理教授，開設「文物典藏實務」課程。

辛治寧 Chih-Ning HSIN

現任國立歷史博物館教育推廣組長、國際博物館協會行銷與公關委員會（ICOM MPR）及中華民國博物館學會理事。除博物館實務工作，也在國內多所博物館學相關系所兼任授課，課程主題包括博物館管理與行銷、博物館教育理論與實務等。具英國萊斯特大學博物館學及中國文化大學藝術研究所雙碩士，元智大學管理學院博士學位。近年以文化近用、協力共學的理念，積極參與實踐史博館成為創意學習及創齡行動的樞紐角色。

羅欣怡 Hsin-Yi LO

現任全聯善美的文化藝術基金會執行長、中華民國博物館學會理事。曾任國立臺灣歷史博物館公共服務組副研究員兼組長、國立高雄應用科技大學文化創意產業研究所兼任助理教授、中華民國博物館學會友善平權委員會執行秘書、宜蘭縣博物館家族協會理事長、宜蘭縣政府蘭陽博物館籌備處總幹事等職。具有教育學院社會教育博士、藝術學院藝術行政與教育碩士，管理學院財務金融學士。研究興趣為博物館群、博物館與文化平權、區域博物館、博物館政策、博物館教育、社會企業與文化產業等。著有《地方·文化·博物館：博物館的社會關懷與實踐》（2016）一書，為《博物館經驗》（2002）（The Museum Experience）一書的共同譯者。

趙欣怡 Hsin-Yi CHAO

現任國立中興大學文化創意產業學士學位學程助理教授，具備藝術、建築、心理學等跨領域背景，創立社團法人臺灣非視覺美學教育協會，曾任國立臺灣美術館副研究員、加拿大多倫多大學心理學研究所博士後研究員。從事視覺文化、展覽策劃、視障美學、口述影像、無障礙展示設計與友善科技應用等教學與研究工作。著有《藝術。可見／不可見》、《視覺障礙》、《21世紀藝術文化教育》等專書文章，發表藝術、建築及多元感官等文章於國內外期刊雜誌，並開發「國美友善導覽 APP」與策劃《看見：我的微光美學》、《時。光。機》、《非＿存在》、《國美 4.0 建築事件簿》等文化近用藝術展覽。2020 年榮獲教育部藝術教育貢獻獎，持續實踐「Art for all；art from all」信念。

陳詩翰 Shih-Han CHEN

係聽障教師，任職於臺中市立啟聰學校高中部美工科，服務資歷屆滿二十二年。從小藉由家人陪伴與鼓勵，喜好參觀藝文展覽並大量借閱圖書資源，培養出文化學科的學習動機與興趣嗜好，求學路以美術科班、美術系、藝術教育碩士班為主軸。國立臺灣美術館 2017 年 8 月舉辦由聾人擔綱

手語解說的聾導覽活動，應邀上場為聾觀眾們手語解說藝文展覽內容，隨後每逢寒暑假各辦理一次，迄今（2021 年）已主持過八場聾導覽工作，累積不少的美術館聾導覽實務經驗，樂於分享從事聾導覽的種種心得與省思。

廖福源 Fu-Yuan LIAO

挑起一磚一瓦的社會工人。一輩子的功課是：怎麼理解他人的受苦，學習在差異裡如何互相對待，並且促進社會對話與改變。於撰寫本專書文章時，擔任伊甸活泉之家、精神疾病照顧者專線、真福之家、敲敲話行動入家團隊主任，創立粉絲頁：瘋靡 popularcrazy，而現為自由社會工作者。目前正在嘗試著發展多元化與貼近人主體的療癒可能，並看見家庭整體背後結構的影響，嘗試辨認與轉化出可以用力的方式。透過精神疾病照顧者專線，讓家屬陪伴家屬，照顧者傾聽照顧者，使家屬的肉搏經驗成為經驗知識，運用藝術培力的文化工具，讓精神疾病經驗者得以產出自己的主體認同及促成社會溝通，並推動精神疾病經驗文化做為社群的文化平權工作。

吳家琪 Jia-Ci WU

現任活泉之家福利服務中心社工組長。活泉之家年度展覽「精神病人的房間」主策展人。曾為活泉之家「藝術教育工作者培力專案」負責人。以一個社工人陪伴精神疾病經驗者，嘗試跨領域結合藝術創作與社工專業，以日常生活支持陪伴、多元藝術課程、半開放行動小組、創作空間營造，並偕同會員嘗試各項行動，例如運用展覽、真人圖書館、開發原生商品等形式。發展精神經驗文化當事人社群，累積創作及文字成為精神文化社會資產，相信其價值能成為實質勞動收入的可能。透過這些創作分享生命及疾病經驗，期待讓精神疾病經驗者當事人與家庭許多真實的樣貌與聲音，被更多人看見與聽見，促使社會理解與對話的發生。

博物館與原住民社區合作展現平權的多種可能：以史前館 MLA 系列展覽為例

林頌恩

前言

中央的政策方向與在地最實際的需求，如何透過博物館作為中介與平台，形成實質的動能運作，既能對在地社群產生作用力，又能將成果與更多人分享？原住民平權課題上在博物館界運作的概念，在做法上可強調重新透過行事的設計與操作，降低參與者運用博物館資源的門檻，達到充權（empowerment）以及文化近用的目的。而雙方協力合作產生的反思與成果，以及透過此一成果再往外觸及群體形成可能的擴散效益，此段引動的歷程不僅可反饋予博物館學習與成長，也能讓博物館在社群未來的發展上作為共創階段行動的夥伴。

在過去，已有不少博物館與地方合作策劃展覽的案例，其中較為人所知且已自成一套體系與系列展覽型態的，有國立臺灣博物館對原住民族委員會「大館帶小館」政策的回應，發展出文物返鄉於當地原民館展出的合作模式（李子寧，2011；呂孟璠，2014）；國立臺灣史前文化博物館（以下簡稱史前館）則就在地族人想製作展覽的主題，採用「以展代訓」陪伴的方式一起完成展覽（林頌恩，2011）；中央研究院民族學研究所採用「共作」概念，強調過程中協力參與的各方皆有其發聲與效力來致力促成（何翠萍、尤瑪 · 達陸主編，2019）。無論是博物館內部對於時代潮流的反思，或是外在大方向與環境影響下，發展與地方走出新局的實踐，都累積了博物館與地方一起練習的珍貴經驗。

文化部於 2017 年至 2020 年間委託公立博物館辦理「博物館系統及在地知識網絡整合計畫」（以下簡稱 MLA 計畫），即強調博物館（museums）、圖書館（libraries）與檔案館（archives）三者間如何與地方產生連結與共作，並匯聚及整理在地知識，再形成可運用、分享的資源，計畫緣起指出：「本計畫期以過去社區總體營造及地方文史研究與保存成果為基礎、輔以公立博物館之專業功能的發揮，擴大社會對於在地知識的重視，藉由重新整理與再詮釋，使更多

人參與在地知識的產出及利用，並將地方知識發展成為建構公民社會的文化資源……」。儘管博物館不一定直接參與社區營造或地方文史等工作，但在此一原則下，各館都受到更多鼓勵，而與地方合作進行提案。

從這個原則也可以看出博物館參與共創在地知識的重要性，並非替代社區或主導社區來做事，而是與之連結、參與社區／社群（已經或意欲）研究的方向或者基礎，採用博物館擅長的工作模式來陪同進行，使其產出能夠轉化為可以有機運用的資源，形成更容易為大眾所觸及的介面，例如策劃展覽、田野採集與梳理資料等，是博物館常運用的工作模式；而參與活動及觀看展覽等，則是可被大眾觸及的介面。

史前館由三個館區構成，分為臺東的康樂本館與遺址公園及臺南的南科考古館，其中臺東兩館區坐落於東部原住民部落之間，長期以來不同組室的同仁運用不同計畫皆有與部落合作的經驗。因之如何就近年文化政策當中諸如「再現土地及人民的歷史記憶」、「全民書寫的地方知識」、「打造國家文化記憶庫」等面向來落實，康樂本館這邊除了先前已有的基礎之外，透過 MLA 計畫辦理主題工作坊／論壇／研習及共同策劃展覽為主軸，來與部落組織、館舍合作，以主體發聲、專業提升、資源協力、門檻降低、社群連結為核心，過程中牽動的涓滴與匯流也在這幾年逐步累積，成為屏東、花蓮、臺東相關社群重要的文化行動以及後盾之一。

儘管史前館的 MLA 計畫尚包括其他操作面向與主題，但以下本文僅就與原民館及部落合作的四地五檔展覽為例來探討。先了解展覽生成的脈絡與內容，再來討論過程中幾種策展方法，以及展覽牽動部分新事務的生成效益。從中可窺見文化平權、友善平權、多元文化與博物館及地方之間，如何在理念與實務上形成多重交織與相互支持。

戰役後四散的後裔仍心繫重建：歸途 Taluma' — 七腳川戰役 110 周年特展

花蓮縣壽豐鄉原住民文物館坐落於 Rinahem（力拿恆／光榮部落），是百年前七腳川戰役過後，被迫四散離開家園的族人其中一處落腳地。早在 2008 年「大館帶小館」針對原住民文物館的活化計畫中，史前館便曾與壽豐館合作，應當地長老要求希望針對七腳川戰役將滿百周年，而與駐館員以及在地團隊推

出「遺忘中重組——悲壯的七腳川 cikasuwan 之戰」特展。過程中除了參考《七腳川事件》與《七腳川寫真帖》這兩本重要書籍，館員 Dungi Butul 林燕萍與公所臨時人員 O'ol Kacaw 李玟慧都拉著母親去訪談老人家，兩人都在田野過程中從親人口中得知原來自己也是七腳川人，這份驚訝與使命感，陪伴著她們在一團迷霧的資料中奮戰，直到開展。

經由策展踏上得知自己是七腳川人的過程，後來也發生在 2008 年館員 Lisin O'ol 林靜如身上。由於七腳川百周年展受到當地族人重視並讓遊客有感而一再延展，因此 Lisin 表示，自己也想跟史前館經歷策劃一檔深刻展覽的歷程。她原本以為只是以館員身分來接觸這檔在地數個七腳川裔部落有連結的展覽，沒想到訪談舅公時一句話「我們家是七腳川，你們竟然不知道。」，帶給她極大震撼；而另一位館員 Falahan Mayaw 曾以文，教會背景下成長的她未曾參加過祭典，為了採集資料鼓起勇氣踏入祭典時的部落；亦或是拉著長輩去訪談耆老聽不懂族語而受到刺激，發奮想要好好學習族語。Lisin 負責文字，Falahan 負責設計，兩人都在策展過程中擴大自身與親族的接觸與認識，這也是她們最後在發展展覽名稱工作坊時，定調以「歸途 Taluma'」作為戰役 110 周年特展的原因。兩位策展人透過田野與族人回饋，更加了解四散各地七腳川裔的故事，這些第一手的經歷與親聞，常能使聽她們解說的觀眾深受感動，而能夠以七腳川人的心境來看展覽。

圖 1-1　能在展場看到自己在乎的群體，就能成為讓一群人在乎的事

　　由於十年後能夠訪談到的老人家越來越少，因此在展覽主軸上，除了要先交代七腳川戰役發生的背景，接著便是進入當今幾個七腳川裔部落如何以自己的方式，來回應七腳川人在當代連結七腳川文化的努力，例如考證重製男子大羽冠及服飾、重建傳統聚會建物、祭歌的保存與練習、每年跟著走先人被迫離開家園的路線去循跡的行動等，此外也具體而微呈現原住民在當代普遍面臨的議題，例如北漂仍心繫部落、想回鄉工作、為退役運動員權益發聲等。最後則以一處故意營造壓迫感的窄小通道，在時序上呈現七腳川人遭逢殖民流離的大環境與時代背景，一路從黑白照片走到彩色照片，希望觀眾不要忘記曾經發生在這塊土地上的歷史。

　　這檔展覽除了讓觀眾能以更平易的方式觸及原住民族轉型正義議題，也成為活躍的七腳川裔族人與組織帶外界前來此處認識部落當代進行式的去處。而這段歷史攸關東部遭逢國家化與現代化的後續變化，透過文物館這個平台，也讓更多人知道這是全臺灣都該認識的事（圖 1-1）。

環繞這片海該被留下來的記憶：《海想聽，》成功潮留生活特展

　　臺東縣成功鎮原住民文物館於 2019 年年初迎來兩位新館員，阿美族的 Kasang 黃采裳與卑南族的 Kitang 李恆，要在經驗全無又時間緊迫下做出一檔展覽，壓力之大可想而知。一開始，雖然早已將方向設定在講述當地與海洋的關係、住海邊阿美族人產生的文化等等，來呼應成功鎮主要原住民族群的背景與生活，但這個方向畢竟還是茫茫大海。對館員來說，如果只是就設定的單元概念來研讀書籍作為蒐集資料的開始，仍舊缺乏許多親身踏查與接觸的感受。

　　因此在第一次策展工作坊，先由館員描繪出印象中的成功鎮進行主題發散與聚焦；同時就其中一個明確的單元，也就是時程上可從旁觀察的 Torik（都歷部落）海祭先取得部落同意，至現場紀錄。在一邊田野、一邊探索的過程，再經過第二次東區七個原民館館員參與策展工作坊，加上文化健康站長輩畫出記憶中的成功鎮，甚至從他們口中找出一條以前曾經存在岸邊但現已消失的道路，逐步調整出「潮」、「留」、「浪花之道」三個大單元。

　　「潮」說的是那些經過時光掏洗留下來該被知道的部落故事，例如部落地名、海祭、阿美族年齡組織、麻荖漏事件、長輩畫家鄉等；「浪花之道」則以消失的路一景於海岸邊一片浪花為通道，對應櫥窗部落阿美族男女服飾連接起

下個單元「留」；「留」說的則是隨時代潮流對應部落需求產生的新興事物，例如 Pisirian（比西里岸／白守蓮部落）運用浮球及漂流木做成 pawpaw（意為「漂浮」，寶抱鼓），讓年輕人藉由聚在一起練鼓，逐步把年齡組織的凝聚力找回來成為部落的力量。

策展期間，館員也加強每周兩次在粉專固定貼文的節奏，分享策展小故事與心得，一步一腳印的努力讓粉絲人數逐漸成長。一開始這就像是繳作文的作業一樣，短短一兩百字的字數，讓兩位館員感到相當頭痛，但也成為訓練觀察與書寫的好機會。隨著節奏養成，特別是當外地遊子看到家鄉親人出現在粉專上而立刻給予回饋，文物館成為帶給族人與家鄉連結具親密感的平台，也突破一般人認為公家機構距離遙遠的印象。

開展後，有藝術工作者主動表示未來願意與文物館合作，也有東海岸族人表示，以前無法想像地方上也能產出如此具有質感的展覽，說出這麼多自己不知道的故事，讓他覺得很為家鄉感到驕傲。成功館有目共睹的表現，也讓鎮公所願意編列更多預算並且更支持館員，朝向更具專業又有溫度的文物館邁進。

Kasang 用「其實我不是在策展，是在找自己」，來形容她在策展過程中，如何重新認識自己的家鄉與文化，因為要找 fufu（阿嬤）幫忙她訪談翻譯、接觸家鄉事物才能形成更有溫度的展覽（黃采裳，2020）。而 Kitang 這句話，則可說為成功館與自己入行的蛻變下了最好的註腳：「經由這次展覽，我們發現

圖 1-2　開展當天，策展人跟鄉親解說努力製作出來的貝類採集區

地方文物館可以不只是一個存放文物的場域，而是可以形成串聯一個地方的載體，對外訴說屬於這裡的故事，對內傳承延續自我的文化。」（李恆，2020）（圖1-2）。

年輕時的歌構成我們每個世代：「歌，住著誰的青春？」太魯閣音樂特展

位於花蓮縣的萬榮鄉原住民文物館，鄉內原住民以太魯閣族居多，其次為布農族。近年來，文物館每年固定與原住民工藝家合作推出工藝品聯展而形成特色，萬榮館前任館員 Sayun Kiyu 林湲訢是織女，館員 Uhay Siquy 蘇貞汝也跟著 Sayun 學習織布。在打棒不斷重複動作的咚咚聲中，Uhay 感受到族人想讓太魯閣族織布一如往昔生活持續在當代展現的努力。因為音樂與織布都是從生活中出發，這讓同為樂團主唱的 Uhay，想要從音樂人角度去探討太魯閣音樂的過去與現在。她最終的希望是引動更多太魯閣族的年輕人參與創作，透過音樂來表達他們身處這個時代的見聞與感受。

然而當 Uhay 拉著媽媽要她教導太魯閣語歌曲時，媽媽拋下一句她不會，讓 Uhay 感到困惑與刺痛。Uhay 逐漸明白，不同世代受到不同時代背景與環境脈絡的影響，但是這些都構成太魯閣音樂的一部分。隨著打聽找哪些長輩訪談、錄音、借調資料與展件，Uhay 將早期祖先在生活中唱的織布歌、狩獵歌，後來被遷移而唱出想念家鄉地名的歌曲；再到祖父在小學時熟悉的日本國歌，以及教會在當時必須透過注音符號來保存母語歌謠，國民政府時代的愛國歌曲、林班歌、躍上五燈獎的福音歌手等一一化成單元；最後則是她這一輩開始被鼓勵重新學習用母語創作歌曲，這些不同世代的族人曾在青春時期唱過的那些歌，集合起來就成為每一代以及想跟下一代分享的太魯閣音樂。這個過程也讓 Uhay 更寬厚地了解，蘇州小調唱得字正腔圓的母親所經歷過的時代背景，並且希望能讓更多年輕人意識到，要更光榮與驕傲來傳唱與創作母語歌，形塑這個時代的太魯閣音樂。

Uhay 非常想完成一檔能讓文物館與族人具有深刻連結的展覽，這檔展覽源於 Uhay 的興趣與意志，衝刺田野工作、忙碌於採集跟錄音，慢慢地讓她覺得可以依照時序來談太魯閣族音樂該有的單元，也透過展場空間工作坊，量出可以運用的空間區塊搭配單元，並決定需要拆除與新增的木作，來安排故事線的內

圖 1-3
不同時期不分類
別讓太魯閣族人
在乎的歌曲,都
構成了太魯閣音
樂的一部分

容撰寫。而當圖片蒐集很明顯無法與文稿搭配而顯得薄弱時,Uhay 也必須花上更多工夫與人情關係去尋覓到更適合的影像。此外,由於萬榮館如前述兩館一樣未曾出現過包覆整個木作的大面輸出製作,因而如何兼顧內容、圖片、版面、展件與設計之間的搭配就更費工。

與此同時,同為策展團隊的文物館駐館員 Lituk Icyang 張靜容與文物館承辦人 Puljaljuyan Padala 林岱勳則攬下了開幕與行政工作,策展團隊與在地族人工班及設計師更是一起施工、布展到深夜,讓人深感地方上一個具規模的展示案可以將眾人長才發揮出來的榮耀感。這可能是過去單憑文物館較為受限的經費無法做到的程度,因此這檔展覽也開創了萬榮館前所未見的展覽主題與做法層級。開幕當天,長輩上台演唱彷彿回返青春,讓台下長輩笑得合不攏嘴的畫面,是當天最動人的一幕(圖 1-3)。

分享溫柔收藏在此的故事:「崁頂百年」與「我的名字從何而來?」特展

史前館與臺東縣海端鄉崁頂部落(Kamcing)合作的展覽,源於部落青年 ibu istanda takiscibanan 胡郁如於 2016 年間偶然得知,原來自己的部落是

1917 年起開始陸續由各個布農家族從不同地方遷移過來而形成，因而驚覺部落即將迎接百年歷史。她開始動念想為生長的地方做些甚麼，於是產生部落自力辦理青少年隨長者前往山上認識家族獵場的走山活動作為開端。或許，可以將這些與家族遷移有關的故事，來跟部落所有族人共享那些該被大家知道的故事，展覽的概念就這樣慢慢形成。

這個啟動的過程非常緩慢，從 2016 年動念，到 2017 年年中才開始蒐集資料，直到選定 2018 年清明掃墓節辦一場只展 5 小時的快閃展「崁頂百年・憶起回家」（muskun kata kulumah），好讓旅外族人都能趁著回到家鄉的時候看到展覽，是一場不斷加溫加上耐力賽的過程。

由於崁頂部落過去已有與不同單位合作而累積的基礎，例如水保局農村再生計畫、關山米國學校體驗遊程，加上族人透過家族網絡、教會組織在人際往來的互動也有基礎，特別是合作展覽的在地對口蓋亞那工作坊（Kaiana）也就是 ibu 的家人親族，願意為了公眾事務承擔起諸多溝通協調以及各項工作，而本務是會計的妹妹 valis 胡筱郁也跳下來負責平面設計，人緣好的 ibu 也找了各有專長的朋友來協助，於是形成了族人、友人與史前館館員共同參與其中的「崁頂百年策展團隊」。

分工上，住在部落的族人親跑田野訪談、圖片蒐集及拼音修正，友人則陪同影像紀錄與家族遷移路線繪圖，並結合旅外青年遠端繕打逐字稿，館員除了行政介面的支持以及進度掌控，也陪同從資料逐步釐清展覽單元的內容與格式，進行補充與校對，並與策展人及平面設計師展開來來回回的討論與修正，送印輸出。最後動員家族與部落青年、國小學童來完成布展及開展。

這場在風雨操場展出各家族故事的行動，感動了旅外族人 tahai 邱康生，願意提供自己在部落的老屋作為展場運用，因此隔年在臺灣科技大學建築系 USR 計畫的支持下，由邱韻祥教授帶領學生整修老屋，而我則跟 ibu 把之前崁頂百年的資料選出相關要交代的脈絡形成單元，如崁頂形成聚落的由來、部落的氏族分布圖，還有獨屬於當地氏族與氏族之間的關係表，與設計師討論來完成《崁頂布農家族系譜展—我的名字從何而來》（mais na isa inaka nganan）這檔展覽。

而這些單元之所以重要的原因，在於布農族人的概念裡，與父方氏族在源頭上屬同一祖先的各氏族為盟友關係、不能通婚，因此要能明辨父方的氏族名與其有關的氏族群體，下一代才知道可與哪些氏族尋求締結婚姻關係。另外也梳理布

農名字的繼承邏輯，如各家第一個男嬰基本上承襲祖父的名字，也將族人參加日治時期戶口調查簿工作坊的資料與心得彙整為單元，形成了「崁頂3062」（取其地址三鄰六二號諧音）的老屋展覽。現在，老屋已經成為部落帶遊客小旅行時，最適合解說崁頂由來與布農名字的文化據點（圖1-4）。

圖1-4
老屋展場收藏了來到此地各家族的故事，也讓後代引以為榮

策展方法的運用

前述四地五檔展覽，儘管文物館與部落的條件與操作方式各有不同，但在策展上至少有如下三個共通點：

第一個共通點是由族人擔任策展人。過程中，史前館的館員則與策展人同為策展團隊一份子且互相學習，也要練習如何考量現實狀況，以調整策展步驟並取得平衡。也就是在前期史前館以其經驗提供建議或參與協助的部分較重，後續則逐漸由原民館及地方強化維運，事務承擔比重上是動態消長的互動關係（邱健維、林頌恩，2020：14）。

第二個共通點是透過田野採集，與社區、社群形成更強烈的連結、互動及歸屬感。以往原民館在部分展覽的形成經驗上，偏向長官指定主題或業務推動成果展，基本上較少進行口述訪談歷史資料採集。這些展覽內容需要依靠重新採集才能產出，或是促使策展人一定要面對相關群體去蒐集資料，因此展覽的產出讓曾參與其中的人員都能深刻共感，不會認為展出的成果與自身無關。展覽因而形成另一種激活地方能量有所匯聚的方式。

第三個共通點則是過程中運用了幾種工作坊的做法，主要由MLA前任助理邱健維來規劃與操作調整。一般來說，MLA計畫這五檔與文物館合作的展覽，策展工作坊基本上會經歷以下三個過程：

一、策展發想

在一開始僅有大方向但不知該如何找出更具體單元及其可涵蓋的細節主題時，天馬行空的發想，可以為眾人找出主題共同點、特色點以及可再深入了解的方向。

參與者先透過繪圖與口頭分享，説出自己對該主題最直觀的第一印象；再將各人所感受到的這些印象，分別以一張便利貼書寫上一個關鍵字，進行分享與説明；再進行第二輪關鍵字補充；之後開始收斂，由引導者以大主題方式將便利貼分類，相同概念的便利貼就可放在同一主題下，此時會開始形成不同小單元的概念。當然，一張關鍵字也可能橫跨不同主題的分類，此時就視該位書寫者所認為最貼切可歸屬的分類為何，如是討論、釋疑，就可逐步收斂成主題與可對應的單元及內容。

二、空間規劃

空間規劃與故事線走向，在協助觀眾進入整體展覽概念上有密切關係，因此需要策展人就展覽素材在單元及動線搭配的安排上（以及經費及製作工程的考量下），在空間轉折打造出能讓觀眾遊走當中感受展覽訊息的方式。

不會使用專業的空間規劃繪圖軟體沒有關係，土法煉鋼也能達到模擬的效果。策展人以實作方式精準測量展場尺寸，連柱子或任何突面、彎角都不放過，這有利於日後木工施作以及跟設計師溝通。再按比例縮小裁切各色珍珠板，加上紙黏土等，練習拼組成展場空間及預視模型，擺在辦公桌上可隨時討論跟加入新想法。這對於團隊之間要討論動線、單元、內容排序或實際考量展件大小與位置等，有助於形成具象化的討論基準（圖 1-5）。

圖 1-5
每一份土法
煉鋼都有自
己真切投入
的歷程，所
以會感到格
外珍惜

三、展覽名稱

　　待田野資料蒐集到一定程度且對於可能的內容與單元較有把握之後，也差不多需要就展名作定調以利展開宣傳，此時就可從手上現有資料來腦力激盪。先各自提出數個理想的展名，並向夥伴表達概念，聽完後可再各自增加或補充其他提案。再從中選出彼此有較多共鳴的提案，不斷提問與確認概念，如是來回交集與取捨，做出最終的定案。

　　有時，展名定案不見得來自一個完整的提案概念，而是在激盪中分別擷取自不同提案概念來合成。當參與的夥伴共同對某個展名產生「啊！這個好！」的驚喜感時，基本上就會是最好的展名；而有的展名可能一開始並不怎麼討喜，但隨著時間過去讓策展團隊越講越順、越來越有感覺時，也就形成最好的展名。

　　策展過程透過工作坊的操作，經由不同群體的參與者來分別蒐集想法，逐步分類、釐清、產出內容並可確認結果的做法，能夠將參與者被引動的發散思考，來回爬梳整理出可收斂參照的成果。而經由策展發想工作坊激盪出來的所有內容，雖然不見得在策展時程上能為策展團隊所完全採用，因為事實上每張關鍵字也都能小題大作再獨立發展出一個展覽。不過，這些發散出來的關鍵字，基本上所環繞的大方向可說是重要的參考，極有可能在本次策展主題上暫時被捨棄的單元，下次轉身就成為日後的展覽主題（更多內容可參考邱健維、林頌恩，2020：101-106）。

四、日治時期戶口資料工作坊

　　另一個出現在「七腳川展」及「崁頂我的名字展」當中運用到的戶口名簿工作坊，產出的內容也成為展場重要的單元。

　　MLA 計畫最早以工作坊解讀日治時期的戶口調查簿資料，是在七腳川歸途展的策展過程中。當族人透過調閱親屬過去的戶口資料，層層往上發現祖輩資料以白紙黑字註記「七腳川社」時產生極大震撼，血脈相連帶動情感與認同的力量不容小覷。「崁頂我的名字展」則將工作坊結果與衍生素材，連同參與者的心得整理成更多展版單元與內容。

　　工作坊的步驟是講課與實務並重，首先需要了解日本時代一開始戶口資料生成的歷史背景與當時調查的限制，再解讀戶口資料不同時期及格式所對應的內容為何，再從參加者調閱到的資料，特別是練習對照日文拼音把先人的名字

唸出來、記下來，好跟長輩記憶中的親族名字做對比。將名字與親族關係都整理好、也跟長輩來回確認之後，就可以實際繪製族譜，或是邊繪製邊修正。這些步驟看起來好像不難，但是文書記載、長輩記憶與實際聽聞都有可能無法對應得起來，這便需要不斷地探詢、訪談、田野、修正與比對，才能逐步建構出來。而在這當中，就有更多耐人尋味的故人故事被提出來，相對也等於開啟家族寶貴話題的機會（更多內容可參考邱健維、林頌恩，2020：81-87）。

陪你一起走一段

　　這四地五檔展覽，族人以策展人身分，整理出在地故事進行主體發聲，過程中隨著策展人接觸更多介面也在專業上有所提升，也會運用工作坊學習到的做法，去帶領自己處理後續相關問題。由於同時可以運用史前館與鄉公所／部落親友的資源，因此可以做出以往受限於行政、人力或經費導致無法夢想成真的規模。特別是史前館前後兩任 MLA 計畫助理邱健維及陳軍鈞在行政作業上陪同處理與分攤，將發想連結成策展或活動所要形成計畫牽動的核銷作業門檻降到最低，因而策展人能將更多心力集中在展覽的品質與實質內容；此外透過與社群連結，不只找到館外或組織之外的工作夥伴，也能在精神層面上得到錨定與安定來面對現實。

　　陪伴對方共同走向這一段艱困的策展之路，都是為了準備迎向開展後笑著回憶當初怎能讓人如此痛哭與痛苦的過去，因此對於策展實務養成這一段過程來說，到最後，往往是在互相理解與義氣相挺中拉著彼此走過來（相似的合作感觸、限制與效益，可另外參考林頌恩，2011）。

　　以 ibu 的心得為例，當她要承擔諸多工作，萬丈高樓要如何從平地蓋起，一開始其實很惶恐。然而長年來關心部落事務的 ibu 並不是做不到，只是缺乏一個事務支持系統與研商討論的對象，讓她能夠穩健地與協力族人走下去，進而發揮創意與統整。她坦承，如果沒有博物館的共事參與在這場展覽，那麼對於當初提到想做一檔展覽的意識應該就會停留在說說而已（原住民族電視台，2018）：

> 博物館在後面支持其實對我們來講是一個很大的動力，就是總要有人在後面去推啊，不然其實會真的，我到底是要做還是不要做，會變成很懶惰。如果真的沒有人在後面去推的話，就會想說，啊那就過了算了，可是後面

又有一股力量在推的時候，就再前進一步去了解，結果一步一步慢慢去了解，結果好像就知道得越多，就覺得說知道了這些更多的事情，就應該是要讓整個部落的人都知道。

　　從彼此帶給彼此的推動力獲得讓自己繼續走下去的力量，進而形成動能不斷做下去，是合作上極重要的啟動。因此，不管是史前館、原民館或部落組織，在合作行事上都有彼此要面對的問題或壓力，無論是溝通、期程、習慣、作法、情緒或是行政、經費、人力等等都各有其勞心勞力之處，要在這些限制之中找到彼此可以持續共事完工的模式，甚至是閃過地雷，說真的都相當艱難。Lituk（張靜容，2021）經歷過「太魯閣音樂展」之後，更深刻領略由辛酸與瑣事堆疊而出的展覽，在地方上生存與展出的意義都是為了以下的目的：「策展不只是一個策展，而是能繼續延續展覽的價值，更能夠發揮影響力，讓所展出的內容都能成為時刻提醒自己身處的環境裡，還能存留下什麼樣的文化記憶與技藝？」懷抱這個弘遠的眼光，大家試著一起面對困難且力圖解決、一一擊破，抱持開展後相信可以帶給更多人感動的想法，然後珍惜常被田野中各種小故事觸動的瞬間，這是策展過程中最感念的累積。若不是這樣的信念來支撐策展團隊，那麼真的很難在一百種鳥事的夾殺中走到開展當天。

　　這五檔展覽，各以其有機的方式，在開展後透過策展族人的解說與運作繼續生長及擴散效應，也帶給廣大的非族人共鳴。例如，「七腳川展」促成第一屆「七腳川論談」的辦理，藉由主題談話的互動，特別是由七腳川裔青壯輩族人分享如何在專業及興趣上著力於連結母體文化，形成非常有能量的對談與連結；「海想聽展」則讓鄰近國小學童有一處可以看到阿美族語言及文化運用在其中的實體場域，成為學校可延伸運用的資源；「太魯閣音樂展」也在籌備後續行動，準備發展可進入校園教學的方案；「崁頂我的名字展」後續也透過教師研習培力，助益崁頂國小教師發展 108 課綱教案。

　　回應文化平權、友善平權、多元文化與博物館及地方之間的互動，都可以看見如何透過適當的操作型態，讓從博物館連結出去的資源，在近用權上可以降低親近與接觸的門檻，例如讓一般生手或資源較不多的從業者不致覺得以辦展來分享的操作過於困難，間接也促進更多在地聲音被聽見，也就是落實人人皆可透過文化行動表達想法的權利；也將各種較少在主流社會被看見具差異性

的觀點，以其主體性展現，同時又能成就各種多元觀點並存。

　　以上概念呼應了 Lisin 對於地方館展覽的看法：「地方館裡面的資訊跟氛圍，比起教科書上的一兩行文字，是最值得可以觀察地方的脈絡。如果透過觀看展覽，能夠學到如此珍貴的事物進而領悟到這些，讓地方館也是一個為在地發聲的平臺。」（林靜如，2019）不管是地方館舍或是部落團體，能夠透過製作地方主題展覽引起本地族人及外地觀眾了解在地之事，也能為在地發聲形成其中一股力量。

　　而在地發聲的意義就在於主體性的代表與訊息強化傳達的力道。就算同樣一個主題，是族人以自己為主體而想去製作、想要連結相關群體而產出的展覽，跟一般博物館或組織由非原住民來策劃生成，儘管在呈現結果上能夠獲致相近的資料，但前者敘述的視角與切入的觀點，以及過程中所觸動周遭群體的關係，加上與長輩在田野之間互動所產生的情感可能因此而形成的使命感與責任感，便不是後者採用同樣材料所能達致的結果。而參與者透過策展所形成與自身族群、部落產生更強的凝聚力與行動力，則有助於在當代形成繼續創造族群未來與文化的潛力。這便是兩者之間最大的差異所在。

道成肉身與神愛世人

　　本文結尾的部分，或許可以試著從基督教界一個關鍵用語「道成肉身」，採用其中部分概念來解釋博物館界可以如何致力於平權的概念。道與神同在，道雖看不到但卻存在，可若要世人更容易感受到神對世人的愛，那麼透過道成了肉身，也就是耶穌與世人同在的日常行動，將神的思想意念表達出來，也就更能為世人感知神的愛。

　　博物館既然擁有崇高的目標與信念，希望為各式社群打造一個可以保障享有平等權利的世界，讓各種群體都能無所畏懼於接觸、親近博物館為人們守護的文化遺產與資源，那麼就不能將理想停留在表面，而是要在自身作為上有所改變，進入裡子與介面，讓博物館愛世人願與世人同行的信念，能夠轉化為可讓對方感知接收的介面，讓道成為可與對方一同思考與行動的肉身，練習讓自身越貼近對方的行事、練習從對方近用博物館的需求來進行內部事務的調整、練習讓對方的在乎也能成為館方日常著力的事項。讓這樣的嘗試與互動，真實成為社群公共事務的一環、形成後續運作的動能，相信這是博物館在平權工作

上，可以不斷調整、精進而且迷人、動人的實踐。

　　特別是對原住民社群而言，博物館自己策劃原住民族主題展覽，與原住民族人自身運用博物館工作法投入策展，就平權來看，兩者在展示內涵與意義上有其差異。平權的出發點就是要從某個角度多意識一些、多做到一點，才能讓原本失去平等權益的現實情形，藉由有所作為而回升至應有的平等狀態而獲致原本被剝奪或失落的權益。因此，以往多由博物館方擔任策展人、族人擔任田野對象或報導人的角色，轉為由族人方擔任策展人去連結與回應、博物館方則是策展團隊的支持體系，這個歷程跟呈現的結果，展現在族人身上就會有更多翻轉與發酵的可能。

　　以 Uhay 的心得為例，策展過程中讓她最感動的是與自己家人、族人的關係更親近，特別是她也更能感受到族人在被殖民的過程中所承受的痛苦，而能同理過去族人面對彼時當下所做的選擇與呈現的結果，讓她可以理解母親與更多人失去在母文化成長的那一部分而能形成世代之間的和解與對話（蘇貞汝，2021）：

> 對我來說這樣的過程，是個了解真相，彼此互相理解、和解的一種方式，但這並不是為政府的政策背書，而是我最真實的感受。這樣的和解，指的是與世代之間的交流與對話及相互理解，因為展覽，知道過去族人在面對歷史的遭遇時，他們如何做「選擇」，有失去也有獲得；同時也看見，族人傳承文化的信念和翻轉文化困境的智慧，讓當代的族人有深刻的經驗作學習，學習去面對、去做抉擇，我想應該是這樣吧……

　　透過策展而產生與家鄉、與家人更親近、更連結的現在進行式，進而對族群的過去式更了解、也能更有信心勾勒未來式，這樣所獲得的策展成果便不只是展覽本身的產出而已。一個展覽可以產生多大的作用力，沒有人知道，但只要參與者有了深刻的領會，就有可能形成捲動未來的力量。一如 Falahan（曾以文，2019）的領會：「一個展覽可以動容多少人，可以激起多少漣漪，我不知道。但我能確定的是，我願意因為這展覽而踏上尋回自己文化，並且努力彰顯文化的這條路。」儘管一開始看來像是個微小的起始點，但通往未來的各種可能都有機會始於當下的漣漪而形成蝴蝶效應。只要地方與社群能夠加以善用，就能逐漸凝聚、累積產生的動能，好對日後的共事產生作用力，如是對博物館與地方而言就已經是同行過一段路且能互相參與在彼此發展的路上。

致謝：
這一路上非常感謝部落組織與原住民文物館的策展人，以及 MLA 計畫前後任兩位助理邱
健維與陳軍鈞，還有史前館的老搭檔楊素琪與邱瓊儀的火力支援，還有讓一切事務可以
順利的行政人員，才能讓上述展覽從夢想化為真實。

參考文獻

Falahan Mayaw（曾以文），2019。走出屬於自己回家的路─七腳川戰役 110 周年特展策展有感，史前館發現電子報：402。https://beta.nmp.gov.tw/enews/no402/page_03.html。

Kitang（李恆），2020。看見有價值的事、創造有溫度的展─《海想聽，》成功潮留生活特展策展有感，史前館發現電子報：414。https://beta.nmp.gov.tw/enews/no414/page_02.html。

Kasang（黃采裳），2020。一場重新認識自己家鄉的展覽過程─《海想聽，》成功潮留生活特展策展有感，史前館發現電子報：415。https://beta.nmp.gov.tw/enews/no415/page_02.html。

Lisin O'ol（林靜如），2019。走在回家的路上─七腳川戰役 110 周年特展策展有感，史前館發現電子報：400。https://beta.nmp.gov.tw/enews/no400/page_03.html。

Lituk Icyang（張靜容），2021。領略策展團隊的真諦─「歌，住著誰的青春？」太魯閣音樂特展策展有感，史前館發現電子報：449。https://beta.nmp.gov.tw/enews/no449/page_02.html。

Uhay Siqay（蘇貞汝），2021。用音樂走一條理解與治癒的回家之路─「歌，住著誰的青春？」太魯閣音樂特展策展有感，史前館發現電子報：448。https://beta.nmp.gov.tw/enews/no448/page_02.html。

何翠萍、尤瑪，達陸主編，2019。共作：記「她方的記憶」─泰雅老物件的部落展示。臺北：中研院民族所。

李子寧，2011。再訪‧「接觸地帶」─記奇美原住民文物館與國立臺灣博物館的「奇美文物回奇美」特展，臺灣博物季刊，30（2）：4-13。

呂孟璠，2014。「大館帶小館」策展模式的再提升─記臺博與屏東縣獅子鄉文物陳列館的合作策展，臺灣博物季刊，33（3）：58-67。

林頌恩，2011。是意義還是義氣？：以史前館為例談部落合作展示詮釋背後的江湖之道。博物館展示的景觀，王嵩山主編，頁：353-377。臺北：國立臺灣博物館。

邱健維、林頌恩主編，2020。練習，一起走一段路─博物館與地方的 N 種可能。臺東：國立臺灣史前文化博物館。

原住民族電視台，2018。東海岸之聲第 228 集：崁頂百年憶起回家 影像記錄部落容顏。https://www.youtube.com/watch?v=azRj4Jeqzgs。

跨文化的人權實踐與困境：
國立臺灣博物館與東南亞社群互動經驗探討

袁緒文

前言

　　座落於臺北市中心，二二八和平紀念公園內的國立臺灣博物館（以下簡稱「臺博館」）於 2013 年以「從『新』出發」主題，承辦文化部「地方文化館人才專業成長培訓工作坊」。該年工作坊以來自東南亞新住民與移工，在博物館與文化場館中的「文化平權與多元參與」為主題，邀請各界關注移民議題的專家、學者、媒體人以及新住民與移工，共同進行為期兩日的講座。內容從移民工的法規與生活面向等問題，到移民工敘述在臺生活的文化融合與衝突的各種困境，以及跨國移動議題在策展中的實踐。工作坊進一步討論移民工進入博物館參觀的經驗，並探討如何策劃適合移民工家庭團體共同參觀的展覽。這場講座讓博物館從業人員與移民工直接面對面的討論博物館及地方文化館等各類型文化空間中，對於長期在臺灣生活的外籍人士是否規劃友善且使人容易親近與使用（accessible）（李子寧，2013:70）。然而，當時來自各地文化場館的從業人員並未意識到，全臺各鄉鎮市區內各類型文化場館周邊早已居住大量新住民與移工社群，他們應是各館所邀請並更加友善對待的「新觀眾」；然而，據當時承辦人員的口述，許多地方文化館專業人員於當年該場次的課程中，對於邀請「新觀眾」產出許多質疑（鄭邦彥，2015）。

　　近年來，東南亞相關活動逐漸在全臺各地大量產生，2016 年政府推動「新南向政策」，更推動各政府單位積極辦理東南亞文化相關活動，促使臺灣社會更認識東南亞文化。2020 年，雖然面對新冠肺炎（COVID-19）國境封鎖，眾多在臺灣的東南亞移民（如新住民、移工、藝文工作者及國際學生）仍持續在全臺各地投入參與東南亞各國不同的節慶、藝術節、講座、研討會以及相關論壇，這是當時積極投入相關領域研究的專家學者與博物館從業人員非常樂見的文化平權倡議的影響力。

本文擬以國立臺灣博物館自 2015 年至今的「新住民服務大使暨文化平權專案」的東南亞語博物館導覽服務開始，同時檢視臺博館連續五年與印尼移工社群共同於館內辦理「印尼國慶文化藝術節」、與在臺白領印尼社群連續四年合辦「蠟染織品藝術節」的經驗，與筆者於 2020 年參與國立臺南藝術大學所舉辦「傾聽他們的聲音：臺灣東南亞新移民的表演藝術發展與困境」座談會中，針對新住民以文化藝術展演進行「社會參與」的過程中所遇到的專業挑戰、法律困境與潛在的歧視問題等進行探討，期待臺灣社會能透過與東南亞移民社群的互動，更深入認識自己在國際間的角色與區域文化的關聯性，進一步透過博物館角色的介入，希望讓臺灣民眾更發現東南亞文化與臺灣歷史的燦爛交織之美。

博物館面對當代移民議題

自 21 世紀開始，全球博物館事業較先進的國家對於博物館的永續發展討論建立共識，並聚焦於環境面、文化面（教育面）、經濟面與社會面等方向。而臺灣自上世紀末開始，新移民的人數連年增加，其中又以東南亞人士居多，隨著時間的流逝，這些當年的「新移民」也逐漸在臺灣定居而成為了「新住民」，成為了臺灣社會的一份子（袁緒文，2015）。臺灣的博物館也在全球移動及進入與多元文化社會的趨勢下，除了重視與當代社群之間的合作與反映社會議題之外，更於近年開始關注當代跨國移動者在社區扮演的角色，他們不再僅是被當作與社群毫無連結的無聲的他者；相反的，跨國移動者在促進社會文化多樣性、社區營造擾動與活絡，都有相當多的貢獻。以下可透過國際博物館協會（International Committee of Museum, ICOM，以下簡稱 ICOM）於每年訂定的國際博物館日主題的更迭與國內博物館界典範轉移的概況，來理解博物館對於當代跨國移動者議題處理的趨勢。

一、國際博物館對文化平權議題之回應

ICOM 自 2017 年開始回應世界各國的移民與難民議題見表 2-1。2011 年是敘利亞內戰期間，其難民在愛琴海上飽受驅逐和人權侵害的慘痛開始，作為歐洲具民族自省的德國，獨排眾議並率先開放邊境接受敘利亞難民。這些劫後餘生的難民，看似狼狽不堪且身無分文，但德國的博物館率先看見這些難民所具備的多元文化資本，位於柏林的 Pergamon Museum 在其轄下的「伊斯蘭藝術博物館（Islamic Art Museum）」進行名為「Multaka（此為阿拉伯文，英文的意思是

"Meeting Point"）」的專案，透過邀請具有藝術文化背景的敘利亞或伊拉克難民，進入博物館進行導覽培訓，驗收通過後成為博物館的導覽員。他們在以母語（阿拉伯語）向家鄉的民眾解說來自其家鄉的物件並同時介紹德國的歷史，讓身處德國的阿拉伯語系的移民或難民，看到家鄉的物件之外，也能進一步用母語認識初來乍到的德國社會（Jarmakani, 2017）。這是以去殖民脈絡且真實的（authentic）文化經驗，訴說最貼近個人經驗的導覽敘事。

仔細檢視以上自 2017 年以來的國際博物館日主題，多元與包容（diversity and inclusion）已成為近年來重要的博物館典範轉移（paradigm shift）。同時，博物館應能反映社會議題、串聯社群，更要能進一步在國際上盡到社會公民的責任。

表 2-1　2017-2020 年國際博物館協會 ICOM 的國際博物館日主題：可見國際博物館所關注的主題，已從展品逐漸轉向對人、社群、族群歷史與多元族群的互動

年分	國際博物館日主題 International Museum Day	倡議主題與說明
2017	博物館與有爭議的歷史： 博物館講述難以言說的歷史 Museums and Contested Histories： 　Saying the Unspeakable in Museums	以博物館作為致力於造福社會並促進人與人之間和平關係的樞紐。博物館強調應接受有爭議的歷史，鼓勵博物館在通過調解與多元觀點，積極且和平理解與處理具有創傷的歷史。
2018	超連結的博物館： 新方法，新公眾 Hyperconnected Museums： New Approaches, New Publics	博物館以此主題為基礎，鼓勵博物館通過探索新型態的合作與活動，加強建立博物館與周邊多元社群、文化團體與自然環境更深刻的連結，並將此互動與連結轉變為新型態的博物館典藏。
2019	作為文化中樞的博物館： 傳統的未來 Museums as Cultural Hubs： The Future of Tradition	以博物館作為當代社會與連結未來的重要文化中樞。博物館的藏品奠定人類社會在歷史發展中的基石，並使當代與歷史有深刻連結，並為我們建立未來的堅實道路。博物館的核心任務（例如收藏和展覽）也可逐漸成為社會變革的推動者。該年也是 ICOM 三年一度的大會，該次在日本京都舉行的大會原本預計針對博物館提出「新定義（New Definition）」，但因各委員會與會員國針對博物館新定義的意見拉鋸與差異過大，因此尚未有統一核定的「新定義」。這引起博物館的傳統功能是否要保留或是應該翻轉的討論。
2020	致力於平等的博物館： 多元和包容 Museums for Equality： Diversity and Inclusion	以博物館作為平等與多元對話的平台，重視博物館社群所提出的多元觀點，並關注於透過展示敘事減少社會的偏見，促進社會包容。
2021	博物館的未來：復甦與新象 The Future of Museums： Recover and Reimagine	博物館、專業人員、社區社群團體，共同想像和分享創新博物館價值的新做法。博物館與文化機構透過創新的模式找出應對未來社會中的文化、經濟與環境的挑戰。

（製表人：袁緒文。資料來源：https://icom.museum/en/）

依國立歷史博物館辛治寧組長針對 2020 年博物館日主題所提出的博物館典範轉移的三大主要方向分別為（辛治寧，2020）：

（一）創新取徑（reinventing approach）：是指博物館整體系統的改變，包含博物館的存在價值、態度、目的、準則及執行方式等面向，是一個系統性概念。

（二）從目的地（destination）到中介者（mediator）：是指博物館從原來單向（one-way）傳達與詮釋，轉變成雙向溝通（two-way）和理解，博物館與觀眾之間產生交互作用（interaction）。

（三）反思博物館的角色跟功能：這點尤其專注博物館與觀眾之間的關係，因環境變遷使然，加上 2020 年全球的新冠肺炎疫情，博物館需要轉變對於利益關係人的看法，尤其以社會參與實踐的觀點，從 clients（客戶）發展到 partner（夥伴）可能更為適切。

二、跨國移動下的多元族群

> 「我們的社會是由具多元文化與多樣生活模式的人群所形塑的。認知與認肯這樣的多元性作為社會現象與互動的基礎，是每日生活的必需、是當代社會的重要任務，更應是長久與常態的習慣。」
>
> 《博物館、移民與文化多樣性 – 給博物館的工作手冊》
>
> （德國博物館協會，柏林，2016）

2018 年 6 月，筆者前往德國法蘭克福，出席 UNESCO 轄下的「國際博物館協會城市博物館委員會 2018 年會」（ICOM-CAMOC, 2018），會前工作坊（preconference workshop）以「移民：城市／移民與其落腳城市」（Migration: Cities |（im）migration and arrival cities）為主題，探討近 1 世紀來歐洲所面臨的移／難民議題，以及他們進入城市後，對在地文化帶來的衝擊與改變。該工作坊推動 3 年計畫的核心概念是：「在政治之外，城市中的博物館應責無旁貸，肩負起社會教育、文化平權、多元參與的責任，讓在地世居多年的民眾認識並接納近 20 年來的新移民，更要真正看見身分地位更敏感尷尬的難民，達成共榮共生、相互尊重、理解、認識彼此的文化與社會處境。」該年度的工作坊是由法蘭克福歷史博物館（Historisches Museum Frankfurt）主辦，該館館長介紹法蘭克福這座城市在一波波歷史過程中的演變。他說：「在希特勒主導的時期，他們對於不好的物件，不是仔細了解、修復或維護，而是直接消滅。如果是醫院或者是曾經發生過嚴重傳染病的區域，希特勒政府會把整組建築移除、拆掉，然後消失在我們的城市記憶中。博物館現在把這些已經找不回來的的城市建築，透過縮小版的模型

重建，讓民眾看見我們生活的這座城市曾經有過的、應該被留存的記憶。」（袁緒文，2018）。也因為法蘭克福是歷史悠久的移民城市，歷史博物館也特別邀請不同國籍與文化背景的策展人與設計師，讓博物館的展示敘事能更趨近該城市的特色。法蘭克福市負責教育的副市長 Ms. Sylvia Weber 也指出：「我們所處的城市已經沒有主要族群（a city without majority），而是由多元族群所組成的城市，只不過你可能屬於人數較多的族群，或是人數較少的族群。我們必須正視這樣的現況，透過教育政策以及博物館的努力，以達到族群平等的目的。」（袁緒文，2019）。

根據 Peter Kivisto 及 Thomas Faist（2010），移民在進入新的社會中，適應與感受上可粗分為以下三階段：

首先，在移民過程中，個人原本熟悉人事物及井然有序的生活與文化經驗，會因為移入新的環境後呈現失序的狀態，以在臺新住民為例，他們面臨宗教、語言、文化等等不適應的狀況，且會因為文化差異造成彼此的誤解，或者引發焦慮感、挫折感與失落感。

接著，在具有包容性的社會與文化中，慢慢地適應與重新學習，在臺新住民普遍表示他們剛來臺灣時，會努力參與各種課程或者是社團活動，凡是能夠越快認識臺灣的語言文化與生活的課程或計畫，一定積極參與，並希望未來也能協助同鄉更快的融入與適應臺灣生活。

最後，找到方法適應新社會，並且在第二代的出現後更能融入其中，例如在臺灣的新住民因為其子女的關係，而更努力學習語言和文化，並透過各種社團資源，建立和臺灣社會更緊密的結合與關係（葉宗顯譯，2013；袁緒文，2016）。

因此在促進文化場館的多元文化的易親近性（accesibility）時，也應對上述移民移動到新的社會環境中所產生的情緒與感受，有一定的同理與理解。眾所周知，東南亞各國本身蘊含相當悠久的文化藝術、語言與歷史，每位新移民個人（individual）都承載母國獨特的文化、語言、歷史，甚至傳承獨特的藝術形式。博物館身為社會教育場館與多元社會的「橋樑」，更應張開雙臂邀請這些具備獨特的文化的個人加入博物館，發揮自身的文化語言特色，並進一步達到東南亞與臺灣在地文化的雙向認識與交流（袁緒文，2015）。 以下將以國立臺灣博物館於 2014 年開始推動的文化平權暨多元參與 [1] 的專案，探討其逐步實踐的多元文化的文化平權。

一、臺博館主動尋找夥伴

移民工進入臺灣的第一關就是內政部移民署國境事務大隊，其居留證的核發與身分認定的法規事項，均由移民署管轄。臺北市移民署臺北市服務站是筆者於 2014 年開始辦理移民工文化平權業務後，主動接觸的第一個公家單位。移民署第一線服務新住民的工作人員表示期待臺博館的「新住民服務大使」的效益，並認為這是一項可推廣到全國各博物館的新住民培訓服務，因為相當多的新住民在臺灣已有非常久的時間，且在移民署的移民輔導政策下，已融入臺灣社會並積極參與社會服務。許多新住民會在各地醫院、衛生局、新移民會館、警察局、法院與移民署等公家單位擔任通譯，協助新進的新住民辦理相關手續與填寫資料，並幫助執法人員的業務執行。然而，在博物館中擔任志工，對於新住民而言，是一個特別且新穎的學習經驗與挑戰。

筆者進一步主動與 2014 年甫成立不久的「燦爛時光東南亞主題書店」負責人張正先生聯繫並說明臺博館推動文化平權的理念與期待，並促成了之後三屆的「移民工文學獎頒獎典禮」在本館大廳辦理。在新古典主義殿堂式建築的臺博館大廳中，聽著主辦單位以多國語言公布得獎名單，並由得獎者（移民與移工）以母語朗誦其得獎作品。雖然聽不懂東南亞語，但當他們透過自己的語言，傳達出思鄉之情與在臺生活的艱困感受，其聲音在華麗的大廳迴盪，也使現場每位觀眾受到感動。

二、新住民服務大使專案──博物館員的跨文化基礎能力養成

（一）跨文化與跨語言的培訓課程

在新住民參與臺博館服務大使的招募過程中，時常可見越南籍與印尼籍新住民姊妹踴躍參與，且幾乎是成群結伴而來，並佔將近總人數的一半，其他國籍的則是以個人的方式參與。有部分的參與者，是現有培訓中的新住民服務大

---

1 多元參與：此多元參與，是指原本僅是以觀眾身分參訪博物館的東南亞移民工社群，經過與館方的密切交流互動及培訓課程，移民工社群主動提出博物館可加強促進的議題。在此過程中，他們逐漸由「觀眾的身分」轉為博物館教育推廣活動的協作者，並以「講師」、「導覽志工」、「活動總策劃」等多元身分參與博物館之事務。

使介紹而來，其中更有透過電子與平面媒體報導而得知消息，主動來電表示希望參與相關培訓的新住民朋友。

臺博館以中文進行導覽培訓課程，優點為當本館僅以中文授課，當相同國籍的學習夥伴之間有聽不懂的中文語彙時，新住民之間可以相互討論，然而，這對本館的授課人員是相當大的挑戰，也讓館方在授課時深刻體會到「雖然彼此都說著中文，但是我的中文和你的中文在理解上有落差」，加上新住民時常提醒與他們互動的館員：「當我們在說中文時，我們腦中想的是母語，因此請不要說我們的中文不好或者是冒犯你們，因為，我們是在用母語思考再轉換成中文。」本館新住民服務大使的日常身分有全職媽媽、職業婦女、通譯人員、資深導遊等，而教育程度則從高中以上到碩士畢業，來臺期間從 2 年至 3 年，甚至 15 年以上，對於參與臺博館「新住民服務大使」的培訓與任務，均有不同的動機與感受。

臺博館在跨文化導覽培訓課程中規劃出一個最核心的挑戰就是：新住民夥伴必須在博物館的建築與歷史之中，找到與家鄉的連結，並在導覽的時候能進行相關對照的說明。博物館的導覽文本也慢慢從日本時期臺灣（殖民歷史）的主軸，逐漸擴充並移轉到對東南亞與臺灣（移民歷史）的關注。在這裡，中國與越南、印尼、緬甸到與臺灣之間等地所發生的大型族群或個人移動的歷史現象，就會被大量的討論，其中一個命題就是在臺印尼籍新住民中有一定比例的客家族群的歷史淵源。當我們討論到移民與邊界移動的過程，中國與緬甸邊境的移動、婆羅洲（加里曼丹島）上的印尼與馬來西亞邊境的移動、泰柬邊境、越柬邊境等，這種「過一條巷子就出國」或「後門打開跨過圍牆就出國擺攤做生意，晚上再跨圍牆回家」的生命樣態，也更進一步擴大博物館員的視野。這樣的培訓過程，不僅是新住民夥伴單方面的接受博物館提供的知識，開放的討論，也讓博物館員在面對具有不同族群的夥伴時，能更理解東南亞各國「觀看」臺灣歷史論述時的觀點，強化雙向的理解。

（二） 新住民服務大使參與導覽之動機

從培訓、導覽驗收到正式上線服務的過程中，新住民透過一連串具有賦權（empowerment）意義的培訓課程，不但展現了個體的主體性以及情感之間的相互支持，更透過不斷地討論、研讀資料和導覽觀摩與練習，表現出自身的力量並形塑出獨特的導覽風格，他們在導覽過程中加入東南亞的視角進行歷史經驗的比對，讓新住民在導覽過程中的文本（context）成為更具有豐富內涵的文

本。而新住民為什麼會加入臺博館的導覽志工團隊呢？他們參與並接受培訓並成為導覽者的主要動機，可歸納為以下三項：

1. 協助「融入」──增進對臺灣的認識

如前述，早期因婚姻關係來到臺灣的東南亞新住民，為快速的「融入」臺灣的家庭，並能教育下一代，會期待參與各種課程以盡快學習語言、歷史文化與社會習俗已達到最快融入臺灣社會的目的。來自越南的姊妹則表示是他們除了對歷史相當有興趣之外，參加臺博館的培訓之前，已長年參與各項針對新住民姊妹的培力課程與公共服務，因此希望透過博物館的導覽培訓課程，可協助更多的姊妹走出家庭並多認識臺灣的歷史文化。而臺博館所提供導覽內容，可讓越南籍的服務大使邀請更多的姊妹走進博物館，進一步認識「孩子課本中的內容」，這樣除了可幫助姊妹們建立在教導孩子時的自信，也更幫助新來的姊妹們認識臺灣、盡快融入臺灣的社會與文化。

在新北市某國小擔任越南母語教學的新住民服務大使，在臺博館排班日之前要求其校內母語課程的學生，帶著媽媽來館內聽取導覽，而在這樣的服務場域氛圍是相當具有影響力的，該位服務大使表示：

> 在臺灣還是很多越南籍的新住民是無法走出家庭的，透過我在臺博館擔任母語導覽員並在新北市的國小擔任越南語母語老師的身分，要求學生必須於學期末來臺博館聽取母語（越南語）導覽作為校外教學活動。此時，這些嫁來臺灣後十幾年都無法走進社會的姊妹們就有機會走出家門帶著孩子來博物館，當她們在博物館聽到越南語的導覽，是會很開心的，對於陪伴孩子的學習上也會更有自信的[2]。

2. 擔任文化的「橋樑」──找出彼此的連結

臺博館作為東南亞文化與臺灣文化的橋樑，透過新住民服務大使培訓，新住民姊妹從探索臺灣原住民歷史與文化的過程中，往往會找尋到許多與家鄉充

2　訪談日期：2015 年 12 月。該位越南籍新住民自 2015 年加入新住民服務大使團隊服務至今。

滿連結的關鍵，而筆者在「陪伴」姊妹們的培訓過程中，發現他們在認識本館建築與歷史，或原住民器物、服飾，甚至紋面、紋身等文化時，常常伴隨著：「這在越南／印尼／緬甸也有！」的驚呼聲。此時筆者也鼓勵她們進一步研究其相同與相似處，並找出圖片佐證，經與館內人員確認無誤之後，則會將此部分融入在她們的導覽內容中，未來在以新住民服務大使作為「主角」的母語導覽中，她們除以母語介紹臺灣，更能從家鄉的歷史文化角度，與東南亞的觀眾產生更多共鳴與認同，並同時產出有豐富內涵的導覽文本。來自越南河內的芳花表示：

> 每次的培訓課程均有相當多的收穫，也學到不少寶貴的知識，這些事想買也買不了的，沒想到臺灣文化跟越南文化也很像……導覽其實也要靠經驗，不是懂了，會講了就能吸引觀眾，要靠經驗，看聽導覽是什麼人，希望以後會有更多我們越南人來到博物館讓我們有更多機會上場。平埔族生活和建築讓我很深刻，因為一看我就想到自己國家的少數民族、鄉下生活。我來擔任導覽服務員，也是希望未來能夠教導我的小孩更認識臺灣。
>
> （訪談日期：2016 年 1 月 9 日）

東南亞諸多國家在 19 世紀到 20 世紀中葉歷經了殖民時期，因此留下了不少殖民時期的建築，它們與國立臺灣博物館的建築特色也有很多相近之處；來自印尼、緬甸與越南的朋友在了解博物館的建築與臺灣歷史的過程中，找到了許多與自身國家的共通點。這樣的共通點，對於臺博館參與此專案執行的館員，也能拓展個人的歷史觀，並將格局拉高至整個東南亞的歷史脈絡。臺博館也會邀請新住民服務大使將母國歷史與個人生活經驗，與臺博館的建築及臺灣歷史知識做結合，並融入於母語的導覽文案中，這對於來聽導覽的以東南亞語言為母語的人士，都留下更深刻的印象。例如，在臺博館二樓的常設展「臺灣原住民族常設展區」（2021 年更新前的舊展示）中，邵族在日月潭捕魚時所使用的漁船與漁網等工具，目前在越南的鄉下與河流沖積平原河流中，仍可見此種捕魚工具，這讓越南的朋友每次經過展櫃時，定會停留駐足並有相當多的討論。在臺念書的越南學生在參與臺博館的越南語導覽後表示：「來臺灣念書已經 3 年，常常經過這座博物館，但從來不知道可以走進來，今天

走進博物館而且看到穿著越南國服的姊姊用越南語導覽臺灣國家級博物館，覺得很感動也很親切。」

而越南籍的玉梅參與培訓的動機則是因為：「擔任導覽解說的經驗，讓我更有自信在觀眾的面前講話和表達。尤其是用自己的母語跟同鄉導覽時，他們說這樣對博物館能更深入了解，也更愛這個漂亮又有歷史的博物館，我自己也覺得有成就感。」現在的玉梅已經從國立臺灣師範大學華語文教學研究所畢業，目前任職於公司擔任翻譯工作。並且在 2017年國立臺灣博物館與越南河內國立自然史博物館共同策展的開幕記者會中，協助擔任全程的通譯與記者會主持人，發揮重要的跨文化橋樑與溝通的角色。

3. 創造「價值」——發覺自身潛力

而在身分轉換的感受上，曾擔任過臺博館 2014 年「伊斯蘭文化與生活特展」的通譯人員的印尼籍 Indra 則表示，在接受新住民服務大使的培訓過程中，可深刻感受到自己身分的改變，她說：

> 我從前年（2014）參與國立臺灣博物館的伊斯蘭文化與生活特展的通譯志工，當時沒有訓練，只是當翻譯，是博物館內的導覽志工在進行導覽，我把他的話即時翻譯出來而已，因此擔任臺博館的新住民服務大使，感覺自己的過程就是經過了幾個階段的變化：從當一般聽眾或觀眾在欣賞展覽，然後感受到被導覽時的睜亮眼睛，體會自己看展覽跟有人導覽的不同，然後又去當翻譯，把聽到的導覽內容以母語轉述給同胞聽。但此階段的知識不屬於我的。最後，現在我就擔任當初那位導覽志工位置，自己直接當導覽員，把自己吸收到的知識，自己主導講給同胞聽。很感謝臺博館提供了這樣可讓我們發揮的舞台，也提供了一個可以在博物館內分享東南亞文化的機會。

（訪談日期：2016 年 1 月 9 日）

新住民透過這樣的培訓，在博物館內成為「主角」，不再只是擔任通譯的「配角」。在此時，她們身為導覽的主講人並擔任博物館面向東南亞文化和語言的重要窗口與橋樑。同時，她們也成為臺博館在東南亞

語言與中文轉換之間重要的諮詢對象。透過這樣的層次轉換，進而發覺自身的價值 [3]，也促使臺灣籍博物館員對於博物館既有的歷史定位，產生全新的思考和審視。

（三）新住民服務大使團隊──協助本館交織出的東南亞人際網絡

臺博館的新住民服務大使並非僅於館內擔任導覽志工，更是透過對於本館友善平權的措施之了解，與博物館攜手共同辦理、籌畫、諮詢與討論以下的活動：

1. 共同辦理藝術節：與「印尼國立空中大學」共同辦理印尼國慶文化藝術節，並於現場擔任通譯人員，協助館員與移工策展人之間的通譯與博物館活動辦理相關規則之溝通。與「海外印尼僑民協會」共同辦理東南亞織品藝術──蠟染藝術節。

2. 與新住民社群共同策展──「南洋味家鄉味特展」：在 2017 年正式展出前，筆者已於 2015 年開始和新住民社群進行各項飲食、香料、生鮮香草等知識的訪談，並將以上所獲得的資料，轉換成可展示之內容。該展示也透過新住民社團的協助，翻譯製成 7 種語言的摺頁，供東南亞朋友們可以使用自己熟悉的語言對展覽進行進一步的了解。

3. 移工協助典藏品詮釋：目前在大英博物館、耶魯大學博物館、荷蘭國立民族學博物館與東京國立博物館，均可以見到成套的爪哇皮影戲（Wayang Kulit）、爪哇杖頭魁儡戲偶（Wayang Golek）與木製平板戲偶（Wayang Klitik），並有詳細的收藏、典藏脈絡與修復等專業紀錄，在博物館的網站中，甚至可以看到藏品入館時間、捐贈者姓名、材質、戲偶角色等詳細資料。而從這些收藏中，也可看見當年殖民者在東南亞的足跡。臺博館典藏品中，人類學項目下的南洋類藏品，大部分是日籍博物學者們與在東南亞經商的臺籍與日籍商人於 1911 至 1923 年間，於東南亞各地蒐集而來。1911 年，充滿熱情的植物學家川上瀧彌先生進入爪哇島，循著萊佛士走過的路線進

3 　第二項「新住民服務大使參與導覽之動機」本段落文字收錄於筆者 2015 年投稿「臺博季刊」中，並於 2016 年增修內容後投稿至國立臺灣藝術大學藝術管理與文化政策研究所「文化的軌跡研討會」進行口頭發表並刊登於大會論文集（未經審查程序），本次於此文中也針對 2021 年底的現況再次修改與更新相關文字與資訊後新增於此。

行植物採集，看到了花樣繁複、角色眾多的 Wayang 戲劇所使用的面具，而這些由他帶回成為現在的館藏。同時期的日治臺灣下有更多學者或者是商務人士，也陸續以交換或買賣的方式，讓東爪哇的印尼木製平板戲偶（Wayang Klitik/ Krucil）進入臺博館成為典藏品。筆者在某個機緣下，遇見來自東爪哇的移工朋友 Budi 先生，他告訴我 Wayang Klitik 戲偶來自他的家鄉，在他的牽線下，東爪哇諫義理市（Kota Kediri）的戲偶師 Ki Khondo Brodiyanto 仔細地檢查我提供的木製平板戲偶藏品照片，並一一標註戲偶的角色、相關故事背景。不只如此，這位遠在東爪哇的操偶師還提供了很多他們日常進行操偶、排練、演出、甚至製作戲偶的照片。透過移工 Budi 的轉達，與臺博館新住民服務大使的翻譯協助，可得知這批典藏於臺博館超過上百年的物件的真實面貌，這帶給館內的研究人員全新的視野。同時，當代的操偶師看到臺博館藏的木製平板戲偶，相當感謝臺灣努力保存這些物件，並表示在他的故鄉，戲偶師們也正努力透過各種演出、課程、甚至組織社區中心，來傳承當地獨特的 Wayang Klitik。他們很希望在疫情結束後能有機會來臺灣，將彼此的交流紀錄帶回印尼，讓諫義理市的孩子們也知道，在遙遠的臺灣，有人這樣為了他們的文化資產努力（袁緒文，2021）。

推動現況與困境

一、文化平權與社會影響力

臺博館辦理的文化平權特色化計畫，普遍受到新住民與移工社群之肯定。同時，因本館以行政支援為主，讓移民工站上第一線，進行母語導覽、講座與活動之策劃與執行等，與各國駐臺單位及臺灣相關社群建立起長久且良好、互信的關係。本案持續受到各博物館與文化場館之關注，承辦人與新住民服務大使受邀至桃園市文化局管轄之新住民文化會館（House 135）、新北市十三行博物館、臺北市二二八紀念館、高雄勞工博物館與國立故宮博物院，進行文化平權特色化的執行經驗分享。同時，因應社會大眾漸漸具有文化平權觀念，各文化場館的展示文字多語化，除了英文、日文等，也新增東南亞國家的語言，其所需的翻譯人力，有部份向臺博館借將。然而，由於各博物館與藝文場館的使命與特色不同，臺博館也積極鼓勵新住民服務大使接受各種不同特色藝文場館的邀請，進行通譯、翻譯，甚至參與導覽培訓。進一步邀請具有東南亞文化背景的民眾入館參訪，將跨文化的思維帶入藝文場館。

二、文化平權推向國際

國立臺灣博物館受文化部委託於 107 年度辦理文化平權特色化活動專案，透過與大量的移民工社群暨東南亞駐臺商務辦事處密切合作。新住民、移工，甚至其駐臺代表，他們除了感謝臺博館的努力，更殷切期盼來年仍能給予新住民、移工同樣的參與機會，並與本館長期合作。對於本館執行友善平權特色化成效，也可見於東南亞在臺媒體的相關報導，這些報導使臺灣在東南亞國家媒體上曝光[4]，增進臺灣對於東南亞文化友善可見度。持續辦理本案，除以利平權事務的長遠深耕，也將強化與新南向國家的良好互動，樹立臺灣博物館界之典範。

三、文化平權與永續經營

早在 2007 年開始，國立臺灣博物館與賽珍珠基金會陸續合作，邀請新住民家庭進入博物館參訪，接著在 2013 年受文化部委託辦理的「地方文化館人才專業成長培訓工作坊──從『新』出發」強調社區文化館應注意周邊社群中的移民社群，並積極開發潛在的新住民觀眾。2014 年辦理的「伊斯蘭文化與生活特展」則是吸引了許多夥伴加入新住民服務大使專案，並持續在臺博館服務。自 2014 年啟動至今的新住民服務大使暨文化平權專案，不斷以多元的活動深耕移民社群的網絡人脈，並與東南亞社群嘗試創新及多樣的合作，同時又能緊扣臺博館的使命與目的。除此之外，更要思考如何深化新住民服務大使團隊的培訓課程，讓長期與本館合作的新住民團隊可以隨時累積最新的博物館導覽知能，讓東南亞語導覽內容可擴充至更多場館，除了讓東南亞籍民眾可以用母語認識臺灣，也期待讓臺灣民眾可以用東南亞的視野與觀點來認識臺灣歷史、自然環境與生態人文。

四、跨文化的困境與檢視

前面三項講述了臺博館近年來以博物館為平臺促進跨文化理解的方

4　馬來西亞星洲日報駐台記者對 107 年臺博館「南洋味‧家鄉味」特展的報導影片（其中有當時的馬來西亞友誼貿易辦事處總代表的訪談）：https://bit.ly/3wtDiUu。

法，然而臺灣社會對於社會中多元文化的認知及相關政策，不如新加坡、馬來西亞，或印尼和菲律賓等具有多元文化政策的國家完備。因此博物館在辦理跨文化活動的過程中，將於以下分述不同的族群所會遇到的困境：

（一）東南亞移工在臺進行公開表演之適法性

自 1990 年代移工進入臺灣，為解思鄉之情，同鄉人便會於家鄉重要節慶日期前後聚在一起，除了享用家鄉料理，並舉辦各種傳統儀式、表演與活動。這樣的聚會在大約 10 至 15 年前的臺灣社會較難被接受。因為移工聚會有飲酒抽菸之情形，加上他們無隱蔽之處，僅能在公開空間聚集，例如公園等地。在當時不理解多元文化的臺灣民眾眼中，他們成為潛在的「鬧事者」或「聚眾滋事者」；臺灣社會長期以來對於跨國移動者多元文化的展現具有偏見，而造成許多誤會與阻礙。這樣的聚會曾經時常遭受民眾舉報並由警察進行驅趕。如前文提及印尼國立空中大學在臺博館進行的「印尼國慶文化藝術節」，其中部分演出是移工家鄉重要的藝術文化傳承，但也曾經在臺灣各地公園演出時被檢舉。

因為近年來政府大力推動的新南向政策，過往被檢舉的移工演出竟翻身成為各官方單位積極邀請的對象，然而移工進入臺灣時所取得之居留證僅限於在其雇用單位使用，完全不適用其他單位的勞務報酬，因此移工的演出也逐漸成為被剝削的對象。許多移工團體因政府的要求到各地演出，並用自身微薄的薪資購置演出所需的物件與道具。雖然目前各單位在支付移工表演報酬上已找到另一替代性的方式，但仍相對不足，無法讓演出的移工團隊獲得應有的報酬。勞動部勞動力發展署在 2018 年 11 月 27 日雖有函文進行「放寬解釋」[5]，此解釋僅針對移工聚會與自發性的演出准予其自由聚會與演出定義。但自由聚會與演出本就是基本人權，不應由政府單位以「公告」方式提醒社會大眾。勞動部後於 2021 年 9 月 13 日針對 1071127 工作函釋新增補充內容，詳列可排除外籍工作法規第 43 條的限制而領取一次性報酬的藝術展演樣態。當移工逐漸成為公部門文化藝術展演

5　相關法條內容請參考此連結，來源：勞動部 107 年 11 月 27 日勞動發管字第 1070507378 號函，https://sme.moeasmea.gov.tw/startup/upload/govsource/55399998tct_0.pdf。

新力軍，願放棄每月僅一日的休假，為臺灣社會展演家鄉藝術文化精髓，確實值得獲取相對應之酬勞。雖然如此，在臺灣的移工仍會遇到各種不平等對待，這是筆者在辦理相關業務上持續最感到心痛與不平之處。

（二）東南亞新住民在臺受邀以服飾與美食分享文化之淺薄性

國立臺南藝術大學所於 2020 年舉辦「傾聽他們的聲音：臺灣東南亞新移民的表演藝術發展與困境」座談會。邀請筆者和民間 NGO 組織、新住民與移工的表演團隊與個人與官方和學界進行對談，針對近五年來公私立單位、學校與教育機構積極邀請新住民進行母國文化服飾體驗展演、美食文化分享與傳統舞蹈表演的現象與核心問題進行探討（圖 2-1）。

來自東南亞的新住民與移工透過文化藝術展演進行「社會參與」，讓臺灣社會更進一步的認識在臺灣的多元文化，並可透過對於「異文化」的體驗擁抱多元。然而，很多新住民感受到的卻是自己被當成展示的工具或花瓶，很多時候，大家只是在攤位吃吃喝喝就結束，而無法深刻傳達跨文化理解的實踐。然而，邀請新住民社群演出與服飾美食展演的淺薄性，其實是來自於臺灣公私立單位在規劃相關活動時對於東南亞各國文化沒有深刻之理解，要求新住民社群照該單位的臺灣人的理解方式演繹新住民自身的母國文化。以筆者自身經驗而言，每當跟印尼移民工社群討論活動辦理時，印尼社群夥伴都會提出一個很重要的提問：「請問你要的印尼文化，是指哪一個地方？我們有上萬個島嶼及上百種地方文化，請問你指的印尼

圖 2-1
座談會現場（袁緒文攝）

另有一案例，是當日座談中，來自峇里島新住民提出，她曾經遇過活動主辦單位因為擔心參與活動的新住民表演團隊不多，因此會同時洽談很多新住民參與表演，而當表演團隊充足之後，就會立刻勸退之前已經談妥的表演團隊或個人（包含她與她的團隊）。當遇到主辦單位態度前後不一致時，新住民因為很擔心沒有下一次的表演邀請，除了自我安慰，也敢怒不敢言。

新住民因領有居留證，受到居留權與工作權的保障，為了能為臺灣社會與家庭做出貢獻或者是為同鄉姊妹作示範，對於各方邀請，在其能力範圍可及之處均會大方熱情地應允。新住民也認為這樣的口頭承諾一旦訂定，則表示已確認，並將全力以赴。因此，各單位與新住民社群和個人的溝通上，必須清楚明確。對於已經承諾合作辦理活動的新住民社群夥伴，必須重視這樣的合作默契。切勿給予「難道我們就是呼之即來揮之即去的嗎？」的感受。建議各單位在邀請新住民社群時，切勿將對方以「廠商」態度來對待，而是與對方培養合作默契，在工作之餘也給予關心，並且將時常合作的團隊作為夥伴好朋友來對待。

（三）臺灣社會從官方到民間對於東南亞社群認識的落差

臺灣與東南亞在歷史上有著深厚的連結，早期的泉漳移民如果不是往臺灣走，就是下南洋，並進一步成為當代東南亞跨國移動者的一份子。更早期的英國人、荷蘭人與西班牙人，在經過東南亞來到臺灣時，隨行者中也有部分的東南亞各國籍人士（可能是隨從或工人）。歷史上的族群流動從來沒有停過，臺灣當代的新南向政策剛開始時以商業利益為主軸，然而在對於東南亞各國歷史文化及語言的不熟悉之下遇到許多困境。而緣起於1990 年代的開放外籍勞工與跨國婚姻所造成族群之間的不平等待遇，也讓臺灣在早期對於來自東南亞的移動者抱持很多偏見、歧視與不信任。這些偏差的觀念在近五年來也因新南向政策的推動逐漸被打破。而新南向政策的走向，也逐漸從經濟貿易談判等面向，轉向對於東南亞文化內涵的重視。國立臺灣博物館每年定期舉辦的「印尼國慶文化藝術節」，是博物館與印尼移工社群共創的節慶活動，也是向在臺人數比例第二高的印尼籍朋友致敬。在 2016 年由「燦爛時光東南亞主題書店」與創辦人張正先生和統籌策

圖 2-2
臺博館印尼籍新住民服務大使施鷺音女士（右二），協助館方與印尼國立空中大學學生會（Himmas）團隊，開會討論關於 2020 年辦理印尼國慶文化藝術節的各項細節（袁緒文攝）

圖 2-3
來自東爪哇的 Reog 表演（許泰禎攝）

劃的吳庭寬先生居中協調與策劃，直到 2020 年由臺博館、印尼籍新住民服務大使與印尼移工社群共同進行策劃討論，由新住民服務大使擔任語言與文化溝通的橋樑，並由印尼移工社群主導策劃國慶活動主題（圖 2-2）。

　　在臺博館所舉辦的印尼國慶文化藝術節，不僅展現印尼多元文化，也讓館員從中發現並找到與臺博館南洋類典藏品的連結，因此「我的文化我來說」也逐漸成為臺博館各項東南亞議題相關活動的主軸。展演者大部分

為印尼移工，平日他們辛苦工作，在工廠與家庭之間扛起臺灣人無法負荷的工作量，而一年一度的印尼國慶日活動，卻可見他們生龍活虎的展現東爪哇、蘇門答臘、龍目島與峇里島等印尼各地的文化表演。當筆者鼓起勇氣問他們為何在這麼辛苦工作現況中，仍能完成一次又一次的表演，到底是用甚麼時間練習呢？他們給筆者，也是給臺灣社會一個最深刻的回答：「我的文化，在我的血液裡，在我的 DNA 裡。」（圖 2-3）。帶著文化底蘊能量的東南亞跨國移動者，是臺灣社會目前最需要積極認識與理解的現況。

結論

2020 年「鐵道部園區」正式營運，具有四個館區的臺博館努力轉型為現代性綜合型博物館，面對當代移民與移動的議題，期待自身能隨時提出最新的回應與詮釋。博物館也透過訪談與協力合作，以東南亞各民族歷史發展脈絡的視角，回頭檢視臺灣與東南亞的關係。本文梳理臺博館文化平權暨多元參與的理念與方式，逐步消彌臺灣社會中可見及不可見的族群界線，促進多元族群跨文化理解之目的，以利臺灣與東南亞國家進行各項文化交流與發展。

參考文獻

鄭邦彥，2015。在臺灣博物館兼容新住民 - 近期實踐與反思，博物館學季刊，29（3）：103 -116。

袁緒文，2015。博物館多元導覽服務之探討 - 以「國立臺灣博物館 - 新住民服務大使」為例，臺灣博物季刊，35（1）：84-95。

葉宗顯譯，2013。跨越邊界：當代遷徙的因果。頁：231。國家教育研究院。

辛治寧，2020。社會參與實踐觀點 - 典範轉移中的博物館。博物館社會參與實踐：2020 博物館專業人才培育計畫。https://bit.ly/3bUEJEH，瀏覽日期：110 年 5 月 30 日。

袁緒文，2019。當東南亞遇上歐洲：從獵奇到融入的多元平衡。獨立評論 @ 天下。 https://opinion.cw.com.tw/blog/profile/52/article/8534，瀏覽日期：110 年 5 月 30 日。

袁緒文，2021。一批印尼戲偶，讓我跌進爪哇文化的豐富世界。獨立評論 @ 天下。 https://opinion.cw.com.tw/blog/profile/52/article/10349，瀏覽日期：110 年 5 月 30 日。

Deutscher Museumsbund, 2016. Museums, migration and cultural diversity-Recommendations for museum work, Network of European Museum Organisations （NEMO）, Berlin. https://www.ne-no.org/fileadmin/Dateien/public/NEMO_documents/Nemo_Museums_Migration.pdf，瀏覽日期：110 年 5 月 15 日。

Rama Jarmakani, 2017. Multaka project provides tours of museums in Berlin to refugees, DW （Deutsche Welle）. https://www.dw.com/en/multaka-project-provides-tours-of-museums-in-berlin-to-refugees/a-39254689，瀏覽日期：110 年 5 月 20 日。

從友善趨向平權——
以故宮青少年收容人專案為例

陳彥亘

前言

　　諸多論述中，博物館是規訓與權力關係的複合體，亦是國家文化治理的工具。Bennett（1995）指出，博物館為監獄的一體兩面，其具權威性的知識與權力展示，引導了公眾自我規範與治理，從而發展合宜的行為舉止。博物館成為知識的形塑者，被賦予了使公眾文明化的任務。新博物館學興起後，博物館思潮逐漸從以物為中心，轉向為對人的關懷。觀眾也開始被理解為進館前已具先備知識，且掌握知識建構主動權的個體。博物館經驗並不僅限於觀賞展品，亦是個人過去經驗及當下感知的揉合，同時也是博物館教育活動、人員服務、空間環境等整體脈絡影響下的產物（Falk and Dierking, 2000）。近年來，博物館亦逐漸以平台、論壇與樞紐等角色自我定位，以中介者的角色與觀眾互動，期待人們經由博物館連結生活日常，觀眾在互動過程中的想法，亦反饋至博物館的文物詮釋、行政管理、教育活動中，使博物館成為更具涵容性的機構（辛治寧，2020）。

　　國立故宮博物院自 1997 年起受法務部邀請，陸續至全臺各地監獄、戒治所、看守所、矯正學校、少年輔育院、少年觀護所等機構，以展覽及教育活動服務收容人。身處封閉空間的矯正機關收容人，由於觸法被判處禁閉之故，無法親臨博物館參觀，在矯正機關內所辦理的活動，即為此期間收容人故宮經驗的主要來源。本文以故宮 2019 年「非行少年藝術飛行計畫」為例，檢視故宮以青少年收容人為目標觀眾所規劃的外展活動，在重視博物館經驗過程建構的前提下，鼓勵服務對象參與館藏文物詮釋與再現的實務操作。最後，以青少年收容人、校內教職員與展覽觀眾回饋，檢視故宮在此案以自身作為平台，促進多方對話與交流，引發同理及社會影響力的潛能。

故宮與矯正機構合作緣由及筆者參與歷程

1997 至 1999 年間，故宮受法務部邀請，陸續至矯正署轄下機構如桃園少年輔育院、新竹誠正中學、高雄明陽中學等舉辦「華夏文物菁華展覽」，內容以館藏精選複製文物為主，以巡迴首站臺北監獄為例，展示單元包含大型透明片、銅器、瓷器、名畫、法書、珍玩、三希堂特區、文物錄影帶節目欣賞、故宮出版書籍及佛經閱覽區，由故宮導覽員帶領收容人參觀展場，展期為 7 日（孫海蛟，1998；陳欽育，2001：30）。

2010 年，故宮於周功鑫院長任內重啟與矯正機關的連結，筆者亦於此時開始投入規劃與執行以收容人為對象的展覽及教育推廣活動。首站亦從臺北監獄開始，翌年至桃園女子監獄。於此二處所舉辦的展覽，仍延續前一階段的物件導向展示，以各文物類別的複製精品為主體，教育活動亦由故宮志工為收容人分批導覽解說，展期分別為 6 及 8 天。因著矯正機關收容對象的特殊性，收容人參觀展覽時需搭配嚴謹的戒護程序與人力支援，採取統一動線團體參觀，團與團之間避免互動接觸。於此過程中筆者發現，博物館潛在的知識權威與規訓特性，在以矯治為目的的封閉性空間內易被強化。在媒體活動報導及矯正機構通訊的文本裡，收容人猶如等待文明洗禮的個體，其身為觀眾的主動性在儀式性的參觀過程中被弱化，形象扁平且「受教」；然而，從收容人對工作人員的回饋及與其他同學的對話中可發現，其中不乏收容人具豐富的文物蒐藏先備知識，部分收容人對文物的詮釋亦開啟了故宮文物與當代生活經驗的連結，如青銅鼎、甗等食器與監獄炊場煮食廚具的對應，又或者是陶藝技訓班成員與導覽人員討論陶瓷釉色與技法（陳彥亘，2011、2012）。

2012 年，桃園少年輔育院向故宮邀展，此時期筆者針對收容人參觀需求與興趣，展開較大規模的展前評量，期能為青少年收容人規劃適性活動。同時，為了提高收容人參與感，於展前 5 個月開設故宮文物賞析及導覽培訓課程，並與校內社團教師合作運用故宮文物作為素材開發陶藝、繪畫、書法等創作課程。志願受訓的學生與故宮志工合作導覽解說，內容除了陳述展品背景與精神內涵，亦鼓勵學生在導覽腳本中加入自己對於文物的想法，展覽期間結合學校懇親日，讓學生有機會可以為家人導覽。展前課程中的學生創作，亦由創作者撰寫展示文案並於現場解說。展覽內容包含三大區塊：一為以故宮「國寶總動員」動畫為故事線演繹的主題導向展區，結合動畫播放與複製文物展示（部分可供觸摸操作），二為青銅、陶瓷、書法、繪畫等四大類複製精品展示，三為

該校青少年收容人創作成果展出，如陶藝品、書法、繪畫及手工皂等。其後，依此模式巡迴至其他青少年矯正機關，並於 2014 年在彰化少年輔育院聯合展出桃園少年輔育院、新竹誠正中學、高雄明陽中學、彰化少年輔育院青少年收容人創作作品約 30 件（陳彥亘，2015；林慧嫻，2016）。

2018 年底，筆者回顧前述故宮與矯正機關的合作歷程，思考在目標導向的短期時程中，將導覽作為學生成果展現形式，若缺乏適當的引導，可能易造成學生截斷文物脈絡知識，並產生強記與背誦的問題。同時，也因應教育政策對於跨領域教學及素養導向的重視，筆者期望以文物為核心結合學校課程計畫，並在導覽、作文與藝術手作之外，尋找其他對青少年收容人亦具吸引力的創作與表達形式。究竟，什麼樣的活動可以讓青少年收容人產生強烈動機並且實現自我？什麼方向可以符合矯正學校現有教學需求，讓故宮注入的資源更具加乘效果？又，是否可能在展出故宮文物之際，亦反映這些少年過去的經歷，甚而帶出部分青少年犯罪背後的家庭背景、教育環境及社會結構問題，讓大眾得以了解更多犯罪表象背後觸法少年的真實處境，是筆者這一階段嘗試探討與實踐的方向。

在實際作法方面，筆者邀請學校教育及矯正體系兼具的誠正中學再次與故宮合作，除了將展前籌備時間從半年拉長至一年，亦呼應 108 年課綱跨領域與核心素養的精神，在專案中挹注博物館跨領域教學的整合能量，以文物內涵為核心，結合故宮實體及數位資源，邀請誠正中學內部各領域教師與外部多元教學師資，共同規劃創新課程內容與表現形式，增強青少年收容人學習動機，讓學習成就感低的青少年，運用多元智能，從正式及非正式教育資源中探索自我。

非行少年藝術飛行計畫

新竹誠正中學為法務部矯正署轄下矯正中學，收容對象為因偏差及犯罪行為依法裁定感化教育 18 歲以下少年及兒童，該校除了實行戒護矯治，亦實施國民教育課程及職業技能訓練，以維持觸法少年的受教權，由負責課程教學及輔導教化的教育體系人員，與綜理生活管教及安全戒護的矯正體系人員，合作辦理收容少年日常感化與教導事宜，期透過教育促其改過自新，適應社會生活。校內課程包含國文、英文、數學、社會、自然、藝術、生活、體育等一般科目、另亦開設電腦軟體應用、烘焙食品（麵包）、汽（機）車修護等職業技

能訓練課程，兼顧學生基本知識與實務技能，培養其未來進修或就業的能力。

　　2012 至 2014 年間為青少年收容人所舉辦的展前課程，主要是以與矯正機關既有社團、技訓班或藝術與人文教師合作開發以故宮文物為基礎的課程，如：陶藝捏塑、手工皂製作、糕餅烘焙、蝶谷巴特、繪畫、書法、作文等；而 2018 年底所規劃的「非行少年藝術飛行計畫」，同樣以故宮文物為核心，但希望與誠正中學國民教育課程及技職訓練課程展開全面性合作，由該校訓育組長與各學科教師溝通後，筆者再與有意願的教師進行課程細節討論，設定課程目標、教學需求、創作與活動形式，最後，集結展前課程中學生多元的創作成果，與故宮複製文物對話，轉化為公開展演。以下，分別就展前課程與展覽兩大區塊，陳述理念及作法：

一、多感官體驗及實用導向的跨領域課程設計

　　展前課程以故宮文物為核心，延伸出三大架構：（一）實體賞析：複製品觀看觸摸及教具操作，（二）數位體驗：影片、VR 及其他數位互動裝置等，（三）跨領域創作／活動體驗：與校內學科領域教師合作定向解謎、Scratch 遊戲製作、動力自造等，或與校外不同領域專業工作者合作和諧粉彩、禪繞畫、漫畫、饒舌創作、職業探索、符令撰寫等課程（表 3-1）。

表 3-1　展前跨領域課程列表

實體賞析（複製文物）	數位體驗	跨領域創作／活動	校內領域／專科	校外專業領域
宋　蘇軾 書黃州寒食詩	數位體驗	唐詩宋詞賞析	國文	戲劇教育 流行音樂
		現代歌詞改編練習		
		戲劇教育活動		
		詞曲創作		
		編曲混音錄音體驗		
元　趙孟頫 鵲華秋色	神遊幻境 VR	和諧粉彩創作		和諧粉彩
清　院本 清明上河圖	清明上河圖 VR「話‧畫—清明上河圖」影片	開放性媒材創作		OSP
		漫畫創作		漫畫
		職業體驗	歷史	職涯探索
		LINE 迷因貼圖創作	美術	
清　乾隆 紫檀多寶格方匣	「皇帝的玩具箱」影片	多媒材創作		多媒材創作
		定向解謎	數學 英文	
		禪繞畫創作		禪繞畫
		Scratch 遊戲設計製作	電腦軟體應用	

清　聶璜　海錯圖	海錯奇珍 APP（因校區禁用網路故略）	立體卡片		版畫創作
		雕塑創作		雕塑創作
唐　懷素　自敘帖	自敘心境 VR	符令書寫		道教符令
清　集字號大同安梭船	「再現同安船」影片	動力船體製作	汽機車修護	
「小時代的日常——一個 17 世紀的生活提案」特展相關展件	（略）	策展練習	美術	

　　以故宮所藏「清 院本 清明上河圖」為例，故宮團隊將原寸複製畫卷帶至誠正中學，讓同學實際展卷欣賞中國明清時代的風俗民情，並透過古今場景對應的影片理解畫作內容，再透過虛擬實境互動裝置，從遊戲中深化同學對畫中人物角色或店舖屬性等細節的認識。在創作與活動體驗的環節，則分別與開放性媒材創作、漫畫、職涯探索等專業講師及誠正歷史與美術科教師合作。在開放性媒材創作與漫畫作品中，可以看見學生對於過去與現在的自身圖像描繪及對於未來的想像，亦有與家人、同學、朋友、師長等人際互動情境，同時也呈現了入校前的經歷與原因，如藥物及酒精濫用、詐欺、暴力行為等等，其中亦包含對時事的關注與詮釋。

　　在 LINE 迷因貼圖課程中，同學為清明上河圖局部圖片搭配的文字註解，顯示了少年們對圖像作直觀聯想的幽默趣味，部分則呈現了收容人的溝通隱語，如「照水」（把風）、「小朋友」（仟元鈔票）、「溜冰」（吸食冰毒）等（圖 3-1）。職涯探索課程則結合了歷史課的古今對照，由職涯探索團隊邀請不同領域職人如健身教練、油漆師傅、搬家師傅、塔羅牌占卜

左圖 3-1　LINE 貼圖的文字下標，部分呈現了青少年收容人的溝通隱語
右圖 3-2　從清明上河圖延伸的當代職業體驗活動，學生在寵物禮儀師的引導下練習工作步驟

師、寵物禮儀師、財務規劃師等，進行職業體驗闖關挑戰如圖 3-2。少年們也在與各領域達人交流中，認識多種職業面貌，了解其所需之職能專長及工作待遇，其中曾走過更生低潮階段的搬家師傅，獲得許多同學回饋，顯示學生對於進出矯正機關所背負的標籤心有戚戚焉。與故宮於此案合作的職涯探索團隊，並在活動後邀請了數位同學分享過去工作經驗，如擔任水泥工人、廚師、陣頭等，分析從事這些職業應具備的能力及工作訣竅，將其分享內容錄製下來，供後續在展場中播放。

又以「清 乾隆 紫檀多寶格方匣」為例，學生透過複製品持拿賞析，具體化對文物的認識，再連結當代生活經驗，理解古代皇帝所賞玩的多寶格形制，與今日喜餅盒、行李箱及室內空間收納設計有諸多可對應比較之處。在開放性媒材創作課程中，先引導學生將自己看待為多寶格，珍視自身優點有如彼時皇帝收藏賞玩珍品，再運用現場提供的回收紙材組成再生多寶格，並寫下生命中珍視的物品名稱或回憶，放進所創作的多寶格中。在與禪繞畫結合的課堂上，則是讓學生繪製禪繞圖樣的圖卡，將之拼成迷宮，呼應多寶格中層疊套匣的機關，並以迷宮的「出路」來討論人生現階段的目標設定。本堂課所產出的禪繞圖卡，筆者再與校內電腦軟體應用教師討論，將其作為學生 Scratch 軟體應用素材，建置數位版迷宮，並於沿途設計障礙關卡及放置寶物，障礙代表目前的人生困境，寶物則反映重視的人事物。除了上述藝術療癒性質的課程，故宮團隊亦與誠正數學老師合作定向解謎活動，運用多寶格開窗的幾何圖形作為題型，底座及抽屜作為隱藏答案的道具，讓學生在多寶格機關開闔、數學作圖與英文單字排列組合的過程中歸納出答案。

展前階段歷時最久（約 8 個月）、整合面向最多的課程，是以「宋 蘇軾 書黃州寒食詩」（寒食帖）為核心連結國文、戲劇教育、流行音樂製作等專業師資所開發的跨領域專案。在國文課中介紹蘇軾的生平，並從詩詞格律延伸討論至當代饒舌用韻，練習改編現代歌詞。接著，故宮團隊攜帶寒食帖複製手卷，展卷賞析並引導學生討論字體帶來的直觀感受，認識這位宋代文豪遭誣陷入獄，後被貶至黃州等離鄉偏遠之地的生命經歷，結合宋氏其他述及親情、愛情、友情等詩詞作品，討論人生中失意、苦悶、思念、轉念、豁達等情緒與情感，再透過戲劇活動的催化，連結自身生活經驗，最後由音樂工作者協助同學整合文字與音樂旋律表述心情及練唱，同時實際體驗編曲、混音等製作流程，認識流行音樂產業專業分工與現況。專案起始，從全校上過國文課約 50 位學生中進

行海選，由學生自選表演曲目參賽，由誠正國文老師、流行音樂教師及筆者共同評選，挑出具歌唱及歌詞創作潛力者共 10 名學生參與專案，並與其約定上課規則，違規者即淘汰無法繼續參與。最後共 6 名學生完成 3 首歌曲創作並錄音，隨後製作 MV，供後續於展場及網路上播放。

　　展前課程接近尾聲，除了參與音樂專案的學員透過詞曲創作呈現自身想望與心聲之外，在展覽內容大致底定後，本案亦展開導覽培訓課程，同以海選方式選拔學員，成員亦須遵守課堂約定守則，確立學生爭取參與受訓的毅力與決心。為提高學生對展覽的參與度，筆者運用當期故宮正館特展「小時代的日常──一個 17 世紀的生活提案」，以 17 世紀文人文震亨所撰之「長物志」所述，運用物件呈現明代文人的質感日常、互動來往、鑑賞品味與時尚。與誠正美術老師合作，攜帶該展複製展品入校，引導學員認識文物及明代文人特有風尚後，討論誠正少年共享的文化，如：以觀看武俠科幻小說及唱歌為娛樂、討論接見菜及泡麵食譜等飲食文化、及以稀有為尊的服裝款式與舍房擺設潛規則等，並從日常用品中選件，為其撰寫文案，後續於展場中以學生每天在舍房裡睡的床為中心，透過物件的陳設佈置，呈現誠正少年次文化。

　　簡言之，展前課程以故宮文物連結當代生活經驗，使用易建立成就感的媒材，鼓勵學生進行探索與多元形式創作，並在多元感官體驗活動中嘗試自我表達，活動則結合體能、競賽或表演，提高內容趣味性及增強參與動機。學生除了認識文物，也從文物內涵所連結的日常主題觀照自我，並在創作中再現個人反思、集體生活經驗與抒發情感。部分課程如 Scratch 軟體應用、詞曲創作、混音編曲、策展練習等活動具實用性，鼓勵學生未來可應用於生活及職涯中。此外，課程中學生接觸外部講師所產生的人際交流，亦帶給學生接觸新事物與人物典範的機會，並運用不同視野與角度看待目前的人生階段。

二、以少年為主體及著重情緒經驗的參與式展覽

　　為了提供學生多元體驗，展前課程的故宮文物選件原則，多以同時具有實體（複製文物）及數位（影片、VR 或其他數位互動裝置）已開發資源為依據，再結合不同的校內外專業師資規劃創意課程。故在計畫初期，展覽並未有具體架構，而是企圖從學生陸續與文物對話的創作成果中，梳理出可演譯的議題，再現誠正少年的聲音。計畫進行至中期，從課堂影像、文字紀錄及學生的口頭回饋中，發現多數學生對於「清院本 清明上河圖」的印象最深刻，

且畫作內容衍伸的議題較多，所觸發的創作豐富度亦高，故決定以清明上河圖作為貫串展覽的主軸。

筆者原規劃以清明上河圖出現的戲台、學校、古董攤、畫家畫室等場景作為展場意象與分區，將學生作品依不同類型陳列；然重新爬梳學生作品與課堂紀錄後，發現其中一些母題—如自己、家人、朋友、家鄉、思念、願望、悔恨、謀生等議題，在各式文物激發創作靈感的過程中頻繁出現，而這些主題在清明上河圖中亦可找到連結場景，故將展示素材重新分類，歸納出「在清明上河裡，找自己」、「移動‧家鄉」、「收藏‧人生」、「未知‧想望」、「物件‧日常」、「粉墨‧登場」、「百工‧探索」及「誰的清明上河圖」等展示單元，對應各課程的引導文物及學生創作，推出「聽見上河的聲音」非典型教育展（表3-2），於 2019 年 12 月 20 至 29 日誠正中學禮堂展出，展覽對外開放，誠正青少年收容人則在校內戒護人員的陪同下觀看展覽（陳彥亘，2020）。

表 3-2　「聽見上河的聲音──故宮非典型教育展」展示架構

展示單元	子單元	故宮展品（複製品 / 圖像輸出 / 影片 / VR）	學生展品（創作 / 生活物件）
1. 引子─故宮藝術陪伴計畫	1.1 奇思‧異想‧海錯圖	清 聶璜 海錯圖	立體雕塑
	1.2 同安船 2.0	清 集字號大同安梭船	太陽能、機械能等動力系統船體
	1.3 虛擬實境（VR）體驗	清明上河圖─虹橋市集 VR	
		自敘心境 VR	
		神遊幻境 VR	
2. 在清明上河裡，找自己	2.1 人生關‧觀人生	清 院本 清明上河圖	OSP 時光寶盒
	2.2 漫畫‧漫話		漫畫
	2.3 誠正少年的心 LINE 喂		LINE 迷因貼圖
3. 移動‧家鄉	3.1 鵲華秋色‧等你	元 趙孟頫 鵲華秋色	和諧粉彩圖卡
			課程紀錄影片
4. 收藏‧人生	4.1 尋找‧自己的多寶格	清 乾隆 紫檀多寶格方匣	資源回收紙材創作
	4.2 謎‧路		禪繞畫圖卡
	4.3 人生迷宮		Scratch 遊戲
	4.4 數來寶─多寶格的定向解謎		課程紀錄影片
5. 未知‧想望	5.1 文字與方術─道教符令	唐 懷素 自敘帖	符令
6. 物件‧日常	6.1 小時代的日常─一個 17 世紀的生活提案		
	6.2 21 世紀誠正少年的日常		代表誠正少年流行文化的日常用品

7. 粉墨・登場	7.1「誠正好聲音—穿越古今」跨領域專案	宋 蘇軾 書黃州寒食詩	詞曲創作 MV 1. 苦厄人生 2. 那個他 3. 迷途的青春 學生現場表演
8. 百工・探索	8.1 從清明上河圖看古今職業		
	8.2 Holland 六大職業興趣與類型		
	8.3 學生過去工作經歷		工作經歷音檔
9. 誰的清明上河圖	9.1 誠正上河圖		
	9.2 過去現在未來—給自己的一句話		
	9.3 留下一片陽光		學生給觀眾的一句話

　　展前課程以跨域結合的方式引導收容人與文物對話，除了運用各種表現形式，引導學生產出對古老物件的當代詮釋，學生也在作品裡說出自己

左上圖 3-3
「聽見上河的聲音」展覽主視覺及誠正上河圖局部插畫

左下圖 3-4
參與音樂專案的同學，為鄰近學校學生演唱自己的創作

右下圖 3-5
青少年收容人向觀眾介紹舍房內的日常及稀有物件

圖 3-6
觀眾給誠正
少年們的留
言多予以正
向回饋

的故事。展覽名稱中的「聽」,除了具象點出以聽覺感知誠正少年的歌聲與導覽之外,亦代表希望觀眾能在觀展過程中,用心聆聽與感受創作裡再現的觸法少年心聲,除了引發共感與同理,也在生命經驗的歧異裡窺見社會結構複雜性,(圖 3-3 到圖 3-5)。為了補充青少年犯罪議題背後的鉅觀脈絡,筆者與插畫師合作,轉化媒體相關報導及學生所陳述的過往經歷,以「誰的清明上河圖」插畫長卷中逐項細節,突顯青少年收容人過去家庭與教育失能背景下的處境,及未來出校後可能遭逢的更生困境。展場起點的「清院本 清明上河圖」中描繪的,是宮廷畫師呈給皇帝治理下太平盛世裡的市坊榮景,而展覽尾端的「誠正上河圖」,則是誠正少年們在城市光明背後的角落裡面對生命難題與掙扎。

展場最後一區放置了扭蛋機,扭蛋裡裝著戒護區內的誠正少年想對外面的人說的一句話,讀完扭蛋裡的紙條內容後,觀眾可在留言板上回饋(圖 3-6)。展覽結束,故宮與誠正團隊將留言彙集分類,轉送到少年手中。觀眾寫下的內容除了回應少年的留言外,多為鼓勵少年耐心完成感化教育,呈現出對少年們回歸社會的接納與規勸不再誤入歧途的期許,而針對演唱及導覽解說的青少年收容人,亦有觀眾額外留言稱讚鼓舞,使此處成為高牆內外人際情意流動的通道。

三、回饋

　　10 天展期中,觀眾包含了誠正青少年收容人、家屬、校內教職員、法官、保護官、志工、社區民眾、週邊學校、企業團體等,展覽訊息及部分展示內容及影片亦分享於故宮臉書專頁。整體參觀人次為 1,166 人,臉書瀏覽觸及率約為 25 萬人次。展場觀眾及網路的回饋多為正向,從現場回收的問卷發現,88% 觀眾認為這個展覽改變了對青少年收容人的既定印象,並且有 85.2% 的人認為本展引發未來關注青少年收容人議題的動機。有觀眾寫下:「看見故宮帶來的社會改變,藝術的力量也好,故宮的魅力也好,透過展覽轉變人們對收容機構、少年犯罪的汙名,也拋磚引玉引發人思考更多相關問題,請一定要繼續!」

　　參觀展覽的誠正青少年,對展場中清明上河圖複製長卷的豐富內容、呈現校內次文化的展件、自己作品被展出及同學展演等,感到印象深刻:「印象深刻的是清明上河圖,因為沒有看過這麼長又這麼精細的畫!從中可以看出作者的苦心」、「有一些很貼近我們的生活,例如:這裡的 % 數和我們自製的牌之類的」、「唱歌的學生,因為沒想到他們沒放棄自己的夢想」、「帶同學和外面的學生看展覽是很特別的經驗」。80.2% 的學生表達喜歡這個展覽,且有 97% 學生表示會因為此次展覽而想到故宮看看,多數也在問卷開放式欄位中回饋希望未來還有類似活動:「希望之後有機會可以去士林故宮參觀,因為畢竟自己家裡離士林不遠」、「今天的展覽很好,讓我很想再參觀一次」。其中,一位在展前課程結束後才入校的同學寫下:「你們辛苦了,雖然沒有參與,但你們的所有成果讓我自己知道,人有很多可能,別輕易放棄自己」。音樂專案的其中一位學員,在離校一年多內至故宮兩次參觀展覽,並在展場中注意到展前課程中曾介紹的文物。另兩位學員則在離校後,學習樂器及接觸音樂表演機會。

　　校內負責學生生活管教的教導員在展後回饋,本案激發了學生自我實現的動機,參與音樂專案的學員為了參與活動及公開表演,會努力不違規,學生衝突減少,班級動力也有正向的轉變;該校訓育組長亦回饋,2013 年及 2019 年與故宮的合作,影響了誠正中學逐漸將多元藝文體驗納入引導學生學習的工作方法,本次跨域結合開發教案的合作過程,亦激發了參與教師備課及教學的成就感。

四、觀察省思與實務建議

無論是展前課程抑或是展覽籌備階段，本案期待與共作對象—青少年收容人—在專案發展過程中建立夥伴關係，然而在矯正學校內的課程規模與管理制度有其特殊限制，校內的教育體系人員及矯正體系人員，對於學生在課程中的參與及創意自由度，通常有不同的認知與規範期待。此外，也因學生的特殊背景，在課程進行中，時有接見、輔導、看病及公差等需求，或因違規而被處罰隔離、或期滿出校等狀況，使得課程不一定能發揮連續性的學習效益，亦是過程中需克服的情況（尤其是包含成果展演的系列課程）。

就上述情況，筆者針對未來有類似服務對象需求的博物館從業人員，提出以下建議：

（一）專案規劃前，向學校教師請教教學策略及了解學生較有興趣的教學方法。同時，連結學校輔導資源，針對特殊需求學生進行事先討論與準備。

（二）讓學校主管了解專案全貌及事先與授課班級導師和教導員溝通，將有助於課程順利執行。攜帶入校的課程材料，需與校內事先溝通，避免造成實際教學的戒護安全風險。

（三）課程開始前，對學生作充分的專案說明、引導與激勵，使用易建立成就感的創作媒材，鼓勵學生自我表達。同時，準備可臨時參與的備案活動，以讓因外務而學習中斷的學生，在回到班級時仍可有中途加入的機會。

（四）若有較長期的系列課程安排，由校方推薦專案時程內流動機會較低的學生參與，降低因期滿出校而導致學習中斷機率。

（五）遇學生違規，面臨取消參與專案的權利時，儘量尊重矯正學校的規則設定，因無論博物館所導入的教學內容與形式再具啟發性，戒護人員及教師都有與學生有建立長期關係的需求及在團體中建立管理規範的必要性，且學生若因違反規定而錯失參與及發表的權利，亦是學習須為自己行為負責的珍貴機會。

（六）專案過程中與校方保持良好溝通，課程內容採滾動式修正。

儘管有上述的實務限制，相較於與一般學校合作，矯正學校因課程調整的彈性較高，在課程內容與形式上，有更大的空間可以開發創意性高及實用導向的跨領域課程，也有條件可合作規劃長期與多次性、利於深化學習的課程。未

來，或可考慮建立博物館與矯正學校長期合作模式，透過跨領域的專業轉譯，轉化博物館的非正式教育資源為青少年另類適性課程。

結論

矯正機關收容人是受社會排除最嚴重的人群之一，人們常常有種錯覺，對犯下罪刑的人處以社會隔離的懲罰，便可使其不再影響這個社會，但此思維忽略了犯罪的多重成因與社會結構問題緊密扣連，且矯正的功能與目的最終是讓收容人復歸社會，為大眾所包容。若博物館在發展進程中企圖推動社會平等，使不同社群皆有文化參與權，那麼即便是曾觸法的收容人亦不能排除在服務對象之外，同時，應更積極地透過博物館的核心資源，提供收容人社會支持。

故宮至誠正中學舉辦的展覽與教育活動，是博物館對於文化平權的行動實踐，然而，追求文化參與權平等的博物館，也常無可避免地成為製造階級之處，多數矯正機關收容人來自資源匱乏的背景，是社會中文化資本最少的成員之一，如何減低博物館帶給他們的距離感，對於體驗博物館有興趣，並使其在離開矯正機關之後，還能延續使用博物館資源的習慣，在實務上是很大的挑戰。

因著文物多元轉譯與尋找青少年適性教學策略的需求，故宮團隊於本案中串接了不同專業領域如：漫畫、和諧粉彩、禪繞畫、道教符咒、戲劇教育、流行音樂、動力自造、電腦遊戲、迷因、定向解謎、以及油漆、搬家、財務規劃、運動教練等多項職業，以博物館作為樞紐，中介其他知識體系，青少年收容人透過文物連結多樣化資源並創造新的經驗，在各式體驗中，摸索其與博物館及與世界之間的關係。少年們從文物所激發的靈感及延伸的創作與詮釋過程中觀照自我，以自身經歷回應文物的表現形式與精神內涵。

透過與少年（因戒護需求而有限度）的共作，故宮團隊協助少年以多元形式參與展覽，無論是作品參展、導覽解說、演唱，或是以教學者的身份帶領觀眾進行職業體驗，使青少年收容人可主動參與內容詮釋。觀眾的收穫不再僅限於故宮文物的歷史典故與鑑賞知識，亦是與己身生活經驗交融、與收容人直接與間接互動過程下的動態產物。博物館所創造的展場及

社群媒體空間，成為再現觀者生命與物件激盪而生的對話之平台，亦具去除標籤及引納更多社會位置的人士理解與關注觸法少年處境的效益，從而引發下一步行動的可能性。

2019 年筆者與跨領域團隊合作為青少年收容人所規劃的「非行少年藝術飛行計畫」，從傳統以物件導向展示及館方導覽解說為主的知識傳遞導向，轉型至橫向連結多元領域專業，並邀請服務對象共作，參與故宮文物的當代詮釋以及自身文化的部分再現。本案並非僅著眼於推動青少年收容人對博物館資源物理距離的「接近」，更進一步考量博物館資源實質上是否為其所「使用」，亦是故宮在文物典藏的多元應用、擴大社會連結及實踐社會平權過程中的一次深刻嘗試，未來面對背景相似的社群，亦會以此案作為參照經驗，在不斷的實驗與反思中尋找更適合的對話路徑。

參考文獻

辛治寧，2020。社會參與實踐觀點──典範移轉中的博物館 - 辛治寧老師。博物館社會參與實踐：2020 博物館專業人才培育計畫。https://ilovemsfju.wixsite.com/fjusep/post/，瀏覽日期：2021 年 2 月 20 日。

林慧嫻，2016。看見博物館的無限潛能──參加 FIHRM 2015 年會有感，博物館簡訊，75：16-19。

孫海蛟，1998。潛移默化──故宮精製文物赴監獄展出，故宮文物月刊，16（1）：118-123。

陳彥亘，2011。鐵窗裡的博物館──故宮複製文物入獄記，博聞，7：56-62。

陳彥亘，2012。當收容人遇上故宮──監獄裡的博物館教育活動，故宮文物月刊，350：114-121。

陳彥亘，2015。穿越高牆──博物館與矯正機關合作之實踐與反思，博物館學季刊，29（3）：37-67。

陳彥亘，2020。「聽」見少年的聲音──故宮非典型教育展，臺灣博物季刊，39（2）：30-37。

陳欽育，2001。國立故宮博物院的展覽動向（1925-~2001），博物館學季刊，15（4）：19-40。

誠正中學官網。https://www.ctg.moj.gov.tw/，瀏覽日期：2021 年 4 月 1 日。

Bennett, T., 1995. The birth of the museum: History, theory, politics. London and New York: Routledge.

博物館與安置機構青少年在戲劇的相遇：
「卑南救援行動」

蘇慶元

前言

2018 年，我時任職為伯大尼兒少家園兒童與少年福利部門之戲劇輔導督導。當時由國立故宮博物院教育展資處的承辦人游旻寧邀請合作，於 8 月帶領了兩梯專門為安置機構青少年與兒童所設計的戲劇營隊「古西亞行動」，並於 2019 年時，同樣在故宮的帶領下，與國立臺灣史前文化博物館的卑南遺址公園合作，同樣為安置機構與弱勢兒童設計了 2 梯營隊「卑南救援行動」。這兩個不同的戲劇營隊，都是以安置機構的兒童與青少年為主要參與者、以博物館的環境為主要互動的空間、並將戲劇情境放入現實的時空架構中所進行的戲劇營隊。

本文會先描述我設計戲劇營隊的概念，其次以「卑南救援行動」為例，敘述應用戲劇工作者與博物館研究員如何共同合作，並碰撞產出教案，接著描寫營隊的實際操作過程，最後談論此種戲劇營隊的挑戰與困難。

博物館戲劇營隊的概念與理論

一、 戲劇情境的引入

我年少時不愛逛博物館及美術館等地，因為覺得參觀過程很無聊，在我年長後才能夠理解這種無聊感來自於哪裡。Howard Gardner （1983、2000） 提到智能為個人解決問題的技巧，因此所有的知識都應該建構在應用上。因此，若觀賞者對於展品沒有應用上的特別需求，可能因為找不到意義而產生欣賞的困難。此外，大部分的展覽都是以展品為出發，而非觀賞者的個人需求為主，然而每一位觀眾在進入博物館之前，都是有著獨立生活脈絡的個體，而在參觀博物館的過程中，若非自發性強烈或是有著足夠先備經驗的觀眾，僅是依照一般

的參觀方式，可能會造成賞析的困難，如同我當年的感受。

　　然而，由於戲劇為「『假使（As if）』的情境」，它可以成為參與者與外在世界的橋樑與載體（O'Neill, 1995；蘇慶元，2013）。在此虛構世界中，參與者可以轉換為不同的角色，博物館及其展覽物件則能轉為不同的意義，並在此情境中創造博物館所承載知識對於參與者的應用需求，並進而將參與者與知識加以連結。舉例來說，我於 2018、2020 年與故宮博物院所帶領的「古西亞行動」戲劇營隊，將參與者轉換為少年偵探，並將故宮博物院設定為恐怖份子攻擊的場域，此戲劇情境需要參與者需要了解展品的相關背景，才能加以融入故事情境中，因此知識與參與者藉著戲劇所創造出的情境而加以結合。此外，參與者在原先現實的生活脈絡中，往往有著現實生活的侷限，而這個戲劇情境對於參與者來說，更是充滿可能性與樂趣。

二、進入情境的儀式

　　唯有當參與者進入戲劇情境，才能夠利用角色思考，並且進而建立個人與博物館知識的關係。但是進入戲劇情境是困難的，原本參與者在現實中都有自己的身分與生活，若直接要求他們藉著想像而進入戲劇情境，並不容易也不可信。此外，由於我在博物館戲劇營隊的工作對象都是安置機構或是寄養家庭的兒童與青少年，大部分都是由社工或是寄養家庭為其報名的，並未有足夠的自發意願，更增添進入戲劇情境的挑戰。

　　在思考如何將參與者轉換為戲劇情境中的角色時，Arnold van Gennep（2004）與 Victor Turner（1967）提供了可以應用於戲劇活動的理論。van Gennep 在通過儀式（rite of passage）理論裡提到，傳統文化中轉換身分的儀式有三個階段，分別為：分離（separation）、閾限（liminal），以及回歸（return）。而 Turner 則進一步強調在閾限階段時，人會進入一種不確定的狀況，直到逐漸進入另一個確定的角色。在這樣的過程中，往往需要身體性的考驗（如忍受疼痛或孤寂、劇烈運動與勞動等任務）、象徵性的行為與符號出現，來協助人們進行角色轉換。因此在戲劇營隊中，我往往會花半天的時間邀請參與者進入種種考驗的活動，然後再經由象徵性的活動來轉換參與者身分，才正式進入戲劇情境。

三、與環境的互動

　　Jean Piaget（1936）將人的認知發展分成四個階段：感覺動作期、前運思期、

具體運思期、形式運思期，分別說明人與周圍資訊之間逐漸進展的關係。在感覺動作期中，環境所提供的是感官的訊息；而前運思期則出現了象徵的功能，因此環境中除了提供感官的訊息之外，這些感官的訊息還具有象徵或符號的意義。在具體運思期時則是可以運用這些具象的象徵物進行思考，最後，形式運思期則不需要具象的物體來進行抽象思考，通常人在 11 至 12 歲以上才能進入此階段。

在一般非針對兒童所設計的博物館中，人與展品的關係往往是有距離，並以視覺為主要賞析的方式。然而，如何在維持博物館原有的架構與限制下，讓不同發展程度的兒童與青少年參與者，在長達 3 天的時間內維持其專注力並吸收資訊，我認為必須創造與博物館更多元的互動方式，才能達成更好的學習效果。此外，人在形式運思期所理解的抽象的概念，應該要能夠化為行動，才能真實的理解。例如當我們理解一個好的父母，他也許需要能夠做家事或照顧孩子；因此，博物館所建構出的抽象知識，也需要轉化成具體可以執行的行動，方能提供兒童與青少年參與者具體的學習經驗。

博物館戲劇由發想到營隊前的準備過程

首先，我將營隊規畫分成初期、中期與後期，包括確認目標到發想，與不同單位來回討論行程的準備過程。

一、初期（距離活動前六個月）──確認目標與架構

在 2019 年 2 月，故宮博物院教育展資處的承辦人游旻寧，與我們伯大尼兒少家園開會時，確認在 2019 年暑假的博物館戲劇營隊有兩大目標：（一）故宮在地化：她希望這次能夠與國立臺灣史前文化博物館合作，讓故宮的文物能夠與臺灣在地文化交流。（二）臺北與臺東的交流：讓臺北故宮與臺東史前館的資源、文化與在地人才可以互相交流學習，也就是希望這次營隊能協助花東在地博物館與在地應用戲劇夥伴能夠認識，乃至於未來的合作機會。

旻寧同時談到在上次的博物館戲劇營隊中，缺乏文物與人的連結感，若此次能增加文物的背景故事，能夠強化觀眾與博物館的連結，或許能開啟對於博物館的更多好奇，此外，也讓青少年的生活與文物有更多的對話空間。最後，確認這次會是兩梯次各 3 天的營隊，參與者希望是來自安置機構與弱勢兒少，

如阿尼色弗兒童之家與孩子書屋。

二、初期（距離活動前四個月）──第一次場勘收集資料與確認人力

在兩個場館場勘時，我們試著去了解館內動線、可利用空間、以及展場中的各主題，同時仔細感受館內空間給我的氛圍，讓自己順著氛圍開始想像。例如史前館的場地非常大，以深色系的顏色為主、整體燈光較暗，並伴隨著挑高的空間，帶給我一種厚重的感覺。這種感覺，讓我聯想到嚴肅的父親，並繼而發想到父子衝突、傳承、挖掘等主題。

而卑南遺址公園則有非常廣大的戶外公園，幾棟傳統建築矗立在綠色的大草坪上，而展場空間相對於史前館則非常小，遊客不多，然而館內的研究員黃郁倫在介紹卑南遺址時卻充滿了令人難忘的熱情。遺址公園給我一種非常年輕、明亮的感覺，但是我並沒有特別的故事靈感，不過，我想像學員在大草原上奔跑的場景是非常美好的。

當我們去拜訪阿尼色弗兒童之家時，呂立漢院長提到院生大約有六成是原住民，但是大家對於自己的身分認同似乎沒有特別的感覺。而院生大都比較好動、文化刺激相對較少，因此之前院內會提供許多體能性的休閒活動，如騎單車、溯溪、露營等。

在此時我也開始確認屆時要在戲劇營隊中擔任隊輔的人員。一方面我找我們伯大尼所熟悉的戲劇營隊夥伴，另一方面也按照旻寧的規劃，與花東地區的應用戲劇工作者合作，期待由此能夠讓在地工作者與在地的資源連結。而合作夥伴，除了我與伯大尼兒少部主任黃仕宏以外，還有我們部門的諮商實習生黃思瑩、長期與我們部落戲劇營隊合作的舞蹈治療工作者王俐文、伯大尼的戲劇輔導志工與諮商心理師蔡函儒、剛自英國回臺灣的戲劇治療師羅敏霜；在地的夥伴則找了花蓮山東野劇團，現正就讀於國立東華大學族群關係與文化學博士班的劉尉凱，以及曾經合作過的花蓮阿美族舞者陳曄瑩（阿拜）。

三、中期（距離活動前三個月）──故事發想與撰寫初步戲劇活動

此時我開始廣泛地收集博物館的資料，並發想故事。當我開始撰寫戲劇活動時，我一直在思考著阿尼色弗呂院長提到院生需要較多的體能活動，然而在史前館中的展場，如同絕大多數的博物館一樣，都不可能任意觸碰文物。此外，我一直對遺址公園中研究員郁倫介紹文物的熱情、以及青少年在草地中奔跑的

意象念念不忘。因此，我決定以遺址公園為主要活動地點來思考教案。於是，我列下收集資料時腦中所浮現的問題，如下：

（一）原本在遺址中矗立的石柱去哪裡？

（二）卑南遺址的居民去哪裡？

（三）為什麼石棺都朝著都蘭山？

（四）為什麼有那麼多人盜掘？

（五）為什麼要開發臺東新站？

（六）為什麼臺大教授不願意歸還文物？

（七）還有哪些東西在卑南遺址地底下？

（八）為什麼一開始史前館開幕有大火？

（九）沉重的石板要怎麼搬？

順著這些問題，我開始自問自答的發想，希望能夠有一個比較完整的劇情浮現。舉例如下：

發想一：討壺事件篇：在 1980 年代在進行台東新站工程時，發現了一大批的史前文物。當時台大考古隊率領學生搶救發掘工作之後，將一批文物帶回台大做研究，一直到 2005 年台大才將文物點交還給史前館。這些文物到底藏有甚麼秘密？為什麼台大要收藏那麼久？是否一直試圖解出秘密，然而解答不出來？

發想二：卑南後代篇：若有一史前卑南文化人的後代從事工程業，而當 1980 年代開發台東新站時，他發現挖出來的東西跟家中的一樣，他突然發現這是他們家族的文化傳承。但是他到處去說明，都沒有辦法阻止政府的開發，最後他去找台大教授才得以停止開發。過程中他陸續發現他們家族中，有很多的豐富的文化秘密需要被解答，於是他都委託給當年的台大教授，請他協助保管，後來在史前館有人要縱火，想要趁亂偷東西……

發想三：開發商篇：有開發案在遺址公園，但開發商代表是當地原住民，別人都說他是叛徒；開發商要與史前館做協調，想要做古蹟渡假村。但是博物館內部一直有聲音在抗議，覺得開發商並沒有尊重文化資產，只是想要商業利益而已。但是對於開發商來說，已經打通政府關係了，所以與史前館一直有很大衝突……

後來，藉著資料的收集，我認為討壺事件可能過於敏感，因此決定不以它為主。同時，由於我對於東部是否要開發，或是原住民自我認同議題都有強烈的興趣，我決定將卑南後代與開發商兩個發想合併，並且簡單帶入討壺事件的新聞。此外，我以商朝風格的玉作為戲劇中的關鍵物品，希望藉此與故宮加以連結，因而產生以下前文本大綱：

> 開發公司李經理與卑南遺址公園合作開發案，但是卑南遺址研究員Tanawas強烈的反對，因此開發公司李經理寫黑函控告卑南遺址公園，結果被偵探發現。在李經理百口莫辯時，我們聽到Tanawas與台大教授通電話，說某樣東西會改變臺灣原住民歷史，不能被發現。但是後來Tanawas被綁架，我們先是發現Tanawas要隱藏的東西是一個商朝風格的玉，同時也找到了自導自演的Tanawas。真相大白後，我們發現李經理與研究員Tanawas是卑南族的兄妹，而李經理的族語名是Atung。在1980年代建設台東車站時，當時年紀甚小的Atung就盜賣古物，並因此與對原住民有強烈認同的妹妹越來越不合，甚至決定隱藏自己的身份，好在以漢人為主的社會中發展，因而與妹妹產生更大的衝突。

四、中期（距離活動前兩個月）──與合作單位確認前文本與完成教案

當有了大致完整的前文本之後，我便開始撰寫教案活動，並且與故宮的旻寧、卑南遺址公園的郁倫，以及郁倫所介紹的導覽員同事潘姵妏（卑南族名Pinik Pasaraadr）來回確認教案。例如，我原本在前文本寫的遺址公園開發案是由政府主導，而郁倫建議是文化部預算逐年調降，博物館被迫提高自籌款比例之後，才不得已與開發商合作；又或是李經理的角色可以更加複雜，如他支持開發案不只是觀光收益，同時也能協助文化知識被有效推廣等等。而姵妏則以卑南族人的角度，提供給我豐富的卑南族知識，例如教案中有設計謎題要偵探去找到寶物，她提到可以結合卑南在地知識，如以某種部落中常用的植物；或是營隊中主角的名稱可以改成Masaw與Pinik，比較符合在地普悠瑪（南王）部落的習慣。同時郁倫與姵妏都提醒我原漢之間議題的複雜度，例如教案有時流露出將原住民等同於善，漢人等同於惡的二元面向，但是實際狀況沒有那麼簡單。

而旻寧則提到也許可用臺灣史前文化的「玉玦」，取代我原本設想的商朝鳥形紋玉。同時，她也以社工的角色提到如何以戲劇活動談論臺東青少年的自我認同，建立身為臺東人的自信與驕傲。

五、中期（距離活動前一個半月）──第二次場勘與教具製作，並確認兒童版營隊計畫

當教案大致完成之後，我便整理所有需要製作的道具清單，以及確認教案中要使用的場地及其設備，並做最後一次場勘與製作。而在場勘之後，我們也與旻寧一同拜訪台東孩子的書屋理事長陳秋蓉，讓她了解我們的營隊模式，同時也使我們更了解孩子的書屋所服務的孩子特性，由此，在原先已經設計好的青少年營隊教案的基礎上，改寫出另一個兒童版本的戲劇教案。

六、後期（距離營隊開始前兩天）──實際演練營隊

演練活動的 2 天，我們進行教案的修正與地點的更動，例如我們原本想使用遺址公園的展示廳作為偵探基地，但是實際到了現場之後，發現可能會影響到參觀的民眾，便改到遊客服務中心；同時我們與所有遺址公園的相關單位，如保全辦公室、前台服務處等，知會他們營隊可能會發生的狀況。

另外，我們協助兩位教師入戲[1]的演員，分別是扮演旭日開發的李經理（由黃仕宏飾演），與遺址公園的研究員 Pinik（由陳曄瑩飾演），建立兄妹之間的先備經驗。由於這兩位都是非專業演員，為了使他們在戲劇營隊中扮演複雜的兄妹關係，先建立某些戲劇情境協助他們創造一些共同經驗，有助於進入情境，例如請他們扮演小時候一起玩遊戲、Pinik 與哥哥吵架、Pinik 夢到長輩對她說話、或是兩人長大以後參加父母葬禮的情景等。而扮演過程中，兩人也數度真情流露落淚。

---

1 教師入戲（teacher in role）為教育戲劇中常用的技巧，指教師扮演角色，以角色與學生互動。

七、後期（營隊開始）──實際執行教案

當我們實際執行教案時，每天大約都會提早1小時左右與所有人確認流程、道具擺放，並確認工作夥伴的情緒，才開始帶領。當營隊開始時，隊輔們會隨學員特殊狀況而應變，並由我掌控整體的節奏。而每天結束之後，我們會簡短開會討論，有無特殊狀況的發生，並且分享各自感受。

卑南救援行動──青少年版

我們分別為青少年與兒童設計兩個不同的版本的「卑南救援行動」戲劇營隊，但兒童營隊因為營隊的第3天遇到颱風而取消，因此無法完整的執行，故本文以有完整執行的青少年版本為主。

一、偵探考驗

當參與者都到達偵探基地，即遊客服務中心的多功能教室時，都顯得比較陌生與拘謹，所以隊輔們會與他們聊天，試圖降低他們的焦慮感。當活動正式開始時，我教師入戲成為C探長的角色，邀請來自臺北故宮博物院研究員旻寧，為大家說明我在這裡的原因。旻寧表達由於卑南遺址公園有一案件發生，因此史前館向故宮求救。C探長便接著說：需要一群體力好，熟悉卑南遺址公園的青少年來協助，所以找到了附近的阿尼色佛兒童之家的青少年來幫忙，但是，我們需要先確認大家是否能夠通過偵探的考驗。

在開場的過程中，青少年都顯得較有距離，對於我們所說的內容似乎不太信任。而當C探長詢問大家偵探需要有哪些能力時，有位青少年坐在位置上小聲地說觀察力，隨後C探長跟著重複並且肯定，接下來參與者便較多發聲，最後C探長總結出大家的意見，說明偵探大致上需要四種能力，分別是觀察力、反應力、格鬥能力、辦案能力。

（一）觀察力

C探長接續邀請大家觀看在旁邊的一張桌子，並請大家轉過身且趁機將桌子上的東西調換，再請他們轉過來，詢問大家桌上有什麼東西被改動了。由於改變非常明顯，所以有非常多參與者舉手說明。接下來C探長邀請2至3位青少年上來，負責改變桌上的東西，其餘的人則在座位上當觀察者。過程中，由

於青少年以坐著的方式就可以參與，所以顯得自在；而當我詢問誰願意上來改變物件時，則更顯得踴躍。當此任務重複幾次，而青少年越來越投入時，C 探長邀請他們兩人一組，互相觀察後並轉身，請他們將自己身上做出三個改變，如將袖子捲起來，或是眼鏡拿下來，接著再轉身指出對方的改變。

（二）反應力

C 探長說接下來考驗的是反應力，並邀請所有人拿著椅子分散開來坐。C 探長在中間擺放了一張空椅子，說只要他能夠在 30 秒內坐到任何一張空椅子時就贏所有人，而其他的人為了不讓 C 探長坐到椅子，會隨時起身去佔領空的椅子。由於這個遊戲是一種「欺負人（monkey in the middle）」[2] 的遊戲形式，能讓參與者擁有比較多的權力，並顛倒了 C 探長與參與成員的心理位置，所以很容易讓大家參與。

（三）格鬥能力

當參與者有更多的表情、聲音與動作的展現時，C 探長說接下來我們來訓練大家的格鬥能力。大家移動到遊客服務中心外面後，C 探長請大家以慢動作方式移動，只要自己的肩膀被他人摸到就要蹲下，但是若碰到我們肩膀的殺手也死了之後，我們就可以復活繼續攻擊別人。由於青少年之前都在室內，所以當大家一踏出戶外都非常興奮，也能順著前面搶椅子的遊戲所產生的動力，更加主動的去攻擊別人；由於過程中大家不斷的死亡與復活，造成非常荒謬而混亂的趣味。但在戶外的氣溫較高，體力消耗得比較快，當團體已經非常投入時，我便邀請大家再進去室內，進行最後一關考驗。

（四）辦案能力

當大家都坐下之後，C 探長說明這是最重要的考驗，並邀請三位隊輔在前面，說：「這三個人當中，有一個人偷吃蛋糕，要請大家找出來是誰？」。

---

2 欺負人（monkey in the middle），為一種原始的遊戲形式，即權力者在團體中間，象徵性的受團體的攻擊。

然後說明規則。在偵辦之前，C 探長會在這三人之中偷拍一人肩膀，而該人便是偷吃蛋糕的小偷。開始偵辦時，由青少年擔任偵探來對嫌犯提問，過程中要仔細觀察嫌疑犯在說話時的表情、聲音、講話的內容，來判斷是否說謊。一開始青少年似乎採取比較觀望的態度，可能對於從以肢體為主的活動，轉為重視語言及邏輯思考的活動，還不太習慣。但是隨著一兩位比較主動的學員提問時，嫌疑犯都能認真的回應，大家變得更主動提問。而當學員越來越能夠提問時，我們選出嫌疑犯的方式也從舉手，變成請學員站在嫌疑犯的後面，然後數到「1、2、3」嫌疑犯轉身的方式，由嫌疑犯看哪一位的人數多來決定，而大家也益發興奮，也紛紛更能夠表達選此嫌疑犯的原因。

二、選擇隊輔與身分轉換儀式

接下來 C 探長請五位資深探員（即隊輔）上台，各自表現自己的特殊能力。參與者們原本滿心期待他們的表演，結果隊輔們表演的大都是喝水、動手指等好笑而無聊的專長，而 C 探長接著說：「各位，你們看到了我們的資深探員實在不怎麼樣，所以我們很需要你們的幫助！」接下來，C 探長請五位隊輔各站一個地方，請所有的青少年各自站在想要幫助的資深探員前面。

當大家都選好隊輔之後，C 探長將「C 探長徽章」發給每一個資深探員，在隆重的音樂下，由資深探員為每位參與者別上徽章。當大家都別上去之後，C 探長要求大家一手舉起來，一手按著自己的徽章複誦偵探誓言：「我，某某某，立誓成為一位好偵探，伸張正義，尋求真理，幫助弱小！」，過程中看似嚴肅，但因為許多參與者也都跟著唸「某某某」而充滿樂趣。

三、進入戲劇情境

接下來，C 探長帶領所有偵探，到遺址公園的會議室進行任務簡報。但當進入辦公室中看到有兩位不說話的人，呈現一種緊張的氣氛，讓探員們都不敢放鬆。C 探長介紹兩位，一位是史前館的研究員 Pinik，另一位則是旭日開發的李經理。Pinik 先出來感謝探員，並說明這次的任務：由於史前館在文化部預算越來越少，因此博物館需要自籌更多的經費以維持營運，因此不得不與旭日開發合作，要將卑南遺址公園的部分空地，作為大型渡假村，然而這個合作案出現了一些問題……此時 Pinik 被旭日開發的李經理突然打斷。

李經理簡單的自我介紹後，直接請我們看一支充滿競選廣告風格的影片。

影片中先是呈現出臺東失業率高及人口外移的狀況,然後呈現卑南遺址公園現狀,以及之後將改造成國際五星級度假村的模擬影像。影片中李經理說此渡假村會是我們臺東人的驕傲,可以讓離開家鄉的遊子回來,並在結束時,李經理寫下「我們要開發」幾字。但此時換 Pinik 打斷他,說目前這個計畫尚未與史前館達成共識,因為還有很多古文物在地底下等待被挖掘。李經理也再度打斷 Pinik,說:「就像那位口口聲聲說愛文化的人一樣,很多人不希望臺東的未來變得更好,所以我們開發公司收到威脅信,說若我們繼續開發的話,就要對我不利……」,C 探長便接著說,找到誰寫威脅信,就是我們這次的任務。而在這樣充滿張力而緊張的氣氛中,探員們都不敢多說話,於是 C 探長請大家先回到偵探基地休息。在走回去的路上,探員們紛紛表達剛剛的場景非常可怕、到底是真的還是假的、威脅信寫些什麼等等。

四、情節開展

當大家都回到偵探基地後,C 探長邀請李經理拿出他收到的威脅信。信上面是用不同雜誌、報紙剪下來的字所組合而成,內容如下:

> 李經理,如果你讓旭日開發繼續開發卑南遺址公園,最好要小心一
> 點,不然,你從小所養的那隻狗,可能就會像這一樣……

而信上還有一塊如血漬般的紅色;此時李經理開始有些歇斯底里地而哭泣地說到他養的狗「阿嗚」已經陪他 15 年了!並拿出他為阿嗚慶祝 2 歲生日快樂的合照照片給大家看,上面寫著「1209 阿嗚生日快樂」。

C 探長與幾位探員們仔細觀察著勒索信。有探員聞了之後,直說「這是番茄醬!不是血跡嘛!」,大家笑了出來,但是李經理仍然很焦慮的樣子。此時研究員 Pinik 接到了電話,說昨天遊客中心的寄物櫃中,有個沒有人認領的公事包,似乎有點怪怪的。C 探長便邀請探員與 Pinik 去前台拿公事包,幾位探員非常興奮的舉起手過去了,而剩下的探員們則繼續研究勒索信。

當探員拿著印有「旭日開發」的黑色公事包回來之後,C 探長小心翼翼地打開,發現公事包[3]裡面有一些雜誌,上面有些字被剪下來;同時,裡面還有一把玩具刀子、塗著番茄醬的狗狗玩偶,和旭日開發的資料等上班族會用到的東西。由於這裡面是旭日開發的資料,探員們一直覺得李經理有重大嫌疑,也都一致認為這個公事包就是嫌疑犯的東西。C 探長要大家先不要急著下判斷,

左圖 4-1　威脅信。文字裡帶有威脅感，但是拼貼的做法讓它有種幽默與可愛的效果，可以拉開學生在情感投入的距離
右圖 4-2　調查監視器的學生們圍繞著從警衛室拿來的照片進行研究

並且詢問研究員 Pinik，是否有可能協調遺址公園的保全，調出寄物處的監視器，看看有沒有拿著此包包的嫌疑犯影像。

　　接下來 C 探長說因為辦案需求，要分成兩組偵探。一組偵探跟著 Pinik 去警衛室拿可能嫌疑犯的照片；另一組偵探則要依據公事包的東西，做「牆上的角色」[4]，畫出嫌疑犯的照片，並且寫下可能相關的資料，如性別、年齡、興趣等。跟著 Pinik 的偵探們興奮地走到警衛室，煞有其事的表達他們要來調查，而警衛室的保全大哥也拿出預先準備好，裝了照片的牛皮紙袋交給他們。

　　稍後兩組偵探會合，去警衛室的探員們大聲地說有大發現，並拿出監視器照片。照片上面有著一個戴著帽子遮住臉的人，將此黑色包包放進遊客置物櫃中。C 探長接著邀請其他幾組探員，分享他們依據此包包所畫出的嫌疑犯樣子，並且與監視器照片相對照。由於有組別直接影射李經理，使得現場的李經理勃然大怒，認為這是對他們公司的故意栽贓。此時，李經理拿出了一封匿名信，說這是他的秘書剛剛收到趕緊過來拿給他的。我們打開之後，看到信的內容包含一些史前館的負面新聞，如多年前史前館開幕時發生的大火，或當年參與

3　此為教育戲劇中百寶箱（compound stimulus）的習式，藉著物件，讓參與者思考其意義或針對某主題的關聯性。

4　牆上的角色（character on the wall）為教育戲劇常用的習式，我們請學生畫出某角色，並且寫上對於此人的描述或可能的資料，來加深對於此角色的理解。

卑南遺址考古發掘的教授，因為質疑博物館的研究典藏能力，不願將考古文物歸還等新聞。上面還寫著用「史前館沒有能力保護文化，也沒有資格代表台東縣民，我們要開發！」。李經理進而憤怒的對 Pinik 表達，史前館根本沒有能力照顧好文物，卻還想要保存它，應該是開發比較實際。在 Pinik 又要準備與李經理吵起來時，C 探長請雙方先冷靜一下，並先邀請探員閱讀新聞報導，以及上網查詢確認其真實性。

調查監視器的探員們，先去警衛室拿了一疊照片，上面顯示著那位戴帽子的人出現在不同的地點。由於照片上面有記載時間，於是整組人便跟著時間來對照遺址公園的地點，並發現嫌疑犯是從遊客服務中心一直走到展覽廳內，然後消失在辦公室中。探員們原本很激動地要走進去辦公室做偵查，但是被資深探員阻止，因為這代表我們懷疑辦公室可能有內賊，是很嚴重的指控，於是決定先回來偵探基地與大家討論。

而調查匿名信的探員們，則發現匿名信的筆跡與口吻，與在現場的李經理非常的相像。在討論之後，探員們決定找個藉口，請李經理寫下文字來與匿名信做比對。探員們開始互相推派誰要扮演仰慕李經理的人，並有幾位自願出馬。這些探員們向李經理說，由於他們準備國小畢業，很希望能夠像經理一樣成功，可否請李經理寫下幾句勉勵的話，如「未來順利」、「一路發」……當李經理寫時，探員們都顯得非常非常的興奮，因為在其中不同的段落中，有著「我」、「們」、「要」、「開」、「發」等字。

當兩組偵探會合後，各自報告進度。而調查匿名信這一組，在字體比對之後，認為匿名信就是李經理自己寫，並推理那封威脅要殺掉狗的信，也非常可能是他自己所做；於是決定邀請李經理與 Pinik 一同出來對質。

當 C 探長對李經理提出我們的假設時，李經理顯得勃然大怒。但當探員將匿名信字跡與李經理的勉勵文字一比對時，李經理不得不承認這是他自己寫的信，探員們紛紛得意的歡呼。但李經理辯稱因為遺址公園與 Pinik 一直在阻止他們做開發，所以他想要讓偵探們知道這些真相，不過他真的沒有寫威脅信，並再次強調他與他家狗的感情深非常深厚，但是偵探都表示懷疑。

此時 C 探長請大家先不要急著下判斷，隔天再來討論。同時，C 探長與一組探員們講悄悄話，說要給他們秘密任務，並且將竊聽器 [5] 交給其中的資

深探員，請他們送 Pinik 回去辦公室時，由探員偷偷安放在 Pinik 的桌子下面，並不要讓其他辦公室的成員發現。第一天到此結束。

五、情節翻轉

第二天一早探員到來後，由於 Pinik 遲遲沒有出現，C 探長便邀請昨天放置竊聽器的探員們，去 Pinik 的辦公室取出竊聽器，他們投入而充滿責任感的說好，然後立刻消失在大家面前。而當探員們拿著竊聽器回來之後，C 探長在大家面前將竊聽器接上電腦，果然發現了裡面有一個檔案。C 探長解釋說這代表我們有錄到一通的電話，此時偵員們都非常驚訝並充滿期待。藉著喇叭放出錄音之後，我們發現是 Pinik 與某人的通話，內容如下。

> 我絕對不會讓你開發的！這裡面還有很多文物等待我們去發掘啊！一旦開發之後，這些都被破壞了……沒關係，我還有最後的一招，我把卑南遺址最重要的遺產，從你那邊拿來藏了起來，只要我一拿出來，證明這個東西的重要性，你們就絕對不能夠開發，哈哈哈！它藏在……告訴你也無妨，它遠在天邊，近在眼前，就在 卑南祖先禁忌地方、屹立不倒殘缺月亮、南邊看去長鬍老人、Rengas 東北地界腳旁。反正你不會知道的，因為你眼中只有錢，假如你夠了解我，假如你夠了解這個博物館，夠了解我所做的事情，你就可以找到了！

聽完之後，大家都認為電話中說的這個東西非常的關鍵，需要先找到它，C 探長建議大家先去了解一下卑南遺址公園的展示廳再來找此東西。於是大家把幾句如同謎語般的話抄了下來，並且在遺址公園研究員的導覽下，進入了展示廳辦案。在參觀過程中，由於有很明確的目標性，所以大家都非常專注，常常會一邊聆聽，一邊低頭看著自己手中的謎語，並且常常私下的討論這些謎語與博物館展覽的關係。

導覽結束後，所有人回到偵探基地，探員們非常激動的說「卑南祖先禁忌地方、屹立不倒殘缺月亮」，絕對就是指遺址公園中的月形石柱。而 C 探長要

---

5 竊聽器實際為 mp3，但是青少年都因為沒有見過而不知道。

大家先停下來說原因，有探員說因為月亮就是月形石柱、有探員則說在展示廳裡面有看到影片，上面說以前卑南族都會禁止小朋友來這裡，所以這裡就是禁忌地方、有的探員說因為月形石柱的頂端是半月形的形狀，所以就是殘缺月亮。

　　於是 C 探長與所有偵探便朝著月形石柱出發。一路上探員們非常興奮，而到了月形石柱的地方時，有的人指著某個方向說那邊應該就是南邊、有的人則要資深探員拿出手機來看指南針的方向、有的人指著大榕樹大喊就是這裡，於是一堆人就衝到大榕樹下，現場非常有動力。但是當大家在大榕樹下時卻因為沒有人知道 Rengas 的意思而無法繼續。有些探員猜是英文，有的則覺得是原住民語，但不知道是卑南族還是阿美族語。在大家有點挫折與沮喪時，有人想到可以用手機上網找翻譯，但我們找不到相關的英文，有人想到有族語 E 樂園 [6]，於是如同找到一線生機般。最後有人開心地大喊：「是月桃！」，原來 Rengas 在卑南語中代表的是月桃的意思。而 C 探長問附近有月桃嗎？立刻有探員在附近找到了一叢月桃，C 探長問他怎麼知道，他得意地說自己在部落裡面就會知道啊！於是一群偵探圍著月桃搜查，便在土中發現了一個有密碼鎖的鐵盒。C 探長請大家小心不要破壞鐵盒，並且說找到鐵盒的偵探實在是太厲害了！探員們都非常想要試圖打開鐵盒，但是 C 探長說先回去再說。

　　而當我們回到偵探基地，大家正興致勃勃準備要想破解密碼時，突然之間 C 探長收到了消失的 Pinik 電話，C 探長趕緊將手機開擴音讓探員都可以聽到。Pinik 驚恐地說她早上要上班時，突然被人襲擊，現在才剛剛甦醒。此時大家都非常緊張，Pinik 說她應該被關在卑南遺址公園中，雖然她不知道在哪裡，但她記得被帶走時附近的景物，C 探長請大家趕緊拿出紙筆記下來。在電話中，Pinik 描述「我有看到多環獸形玉玦…然後，有經過 5 號之後，很快的右轉，上上下下的感覺…然後，好像有幾片灰色的東西在左手邊…往前以後…家屋在右邊…然後我突然往上衝…地下凹凸不平，好像是石頭路，然後我就失去意識…然後…」，電話即斷訊，大家一片愕然。

　　C 探長旋即要探員們根據電話中所提到的訊息去找她。所有的探員立刻衝

6　「族語 E 樂園」為原住民族委員會所開發的手機 APP，可以輸入不同族語的羅馬拼音找其漢語翻譯。
7　實為卑南遺址公園的自然教室

了出去，探員們在卑南遺址公園的大草坪上奔跑著去尋找著 Pinik，沿路經過家屋等似乎是電話中所提到的地方，最後到達一間屋子 **7**。C 探長請所有人停下來，因為嫌疑犯可能就在這裡。此時有的探員開始害怕，躲在最後面，有的探員則是一直衝到最前面，而被資深探員拉住，C 探長則盡力使所有探員都放慢而小心翼翼的前進。當我們進到屋子中，聽到廁所中傳來 Pinik 的叫喊聲，但是由於廁所被反鎖，所以探員開始尋找屋子中可以使用的器具，得以伸進門後將門鎖打開。

打開門後，我們發現狼狽的 Pinik。C 探長請大家先扶著她到偵探基地，沿路上探員們都小心而溫柔地照顧 Pinik。到了偵探基地之後，Pinik 說自己在上班時，被一個穿著旭日開發衣服的人打了一拳，然後就被沿路帶到這個房間。此時探員們都憤怒地看著李經理，而李經理則呈現出無奈的樣子。但是當 C 探長追問 Pinik 關於電話與被藏起來的鐵盒的事情，Pinik 卻表示她的頭很痛，現在都想不起來。無奈之下，C 探長只好請李經理送 Pinik 回去休息，並召集所有的探員來思考到底是怎麼一回事。

首先我們來想如何打開這個密碼鎖。探員們思考許多的數字，例如 Pinik 或李經理的生日、身分證字號等，但都沒有辦法。其中有一位探員提出的數字「1209」竟然可以打開，他說這是李經理分享他的愛犬「阿嗚」的照片，上面記載的阿嗚生日，大家都非常驚訝他的記憶。於是 C 探長小心翼翼的戴起白手

圖 4-3
所有探員在遺址公園中找尋 Pinik 的樣子，這也正是我一開始參觀遺址公園發想的畫面

套,拿出了裡面的紅色的玉玦。所有的探員們輪流戴著白手套,很謹慎地觀察這個玉玦,彷彿是一個珍貴的寶物。但由於我們都不懂玉玦,C 探長請故宮的旻寧,與史前館的研究員姵妏帶此玉玦回去研究,請他們隔天為我們說明。同時在場的李經理則非常驚訝與不解,為什麼 Pinik 會用阿鳴生日作為密碼。

接下來,大家則一起思考 Pinik 的神秘電話。C 探長請大家分組討論,其中一人扮演 Pinik,另一人扮演電話中的神祕人物來對話,用此方式,來看看各組對於神秘電話的想法。有的覺得 Pinik 在與她的男朋友談分手、有的是要談離婚等,但都沒有確定的答案,所以只好等隔天瞭解玉玦的歷史後,再進行下一步。結束時,大家都把焦點放在救援 Pinik 有多麼的刺激。

六、真相大白

第 3 天早上,故宮的研究員旻寧跟我們分享她昨晚對此玉玦的研究。她提到這塊玉與西元 2000 年前,中國東南沿海玉的型態與色澤很像,但這非常的不可思議,因為當時的人們應該沒有跨海的能力。而史前館的研究員姵妏則提到,這個 C 形玉玦有著卑南文化的特徵。當時尚屬於新石器時代,在沒有金屬器物的使用下卻能夠切割出圓形與小孔,代表玉的研製是非常先進的。同時姵妏提到,若這塊玉真的如同故宮旻寧所提的假設,是當時臺灣與中國沿海文化交流的產物的話,這會是震驚世界的考古發現,因為

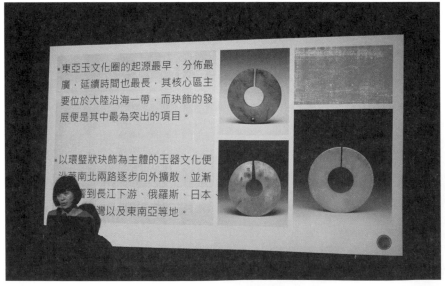

圖 4-4
故宮研究員旻寧,在故事情境中與青少年分享玉玦的歷史資料

這證實卑南文化時期，已有先進的航海技術，因而開發案可能必須被擱置，好再一次進行大規模的考古。

　　當兩位研究員講完後，有些探員有感覺，有些則似乎不太了解。於是 C 探長問大家是否知道 BTS—防彈少年團？此時大家突然被引發興趣而顯得興奮。C 探長說若你有一個 BTS 中「V」的簽名照感覺如何？大家都興奮地回應「超屌的！」。C 探長接著說當我們有 V 的簽名照，還可能代表著我們有實際去韓國一趟排簽唱會獲得簽名，或是有人在韓國簽名之後，再被進口到臺灣；不論是哪一種，都代表臺灣與韓國一定有交流對嗎？少年探員們紛紛表達同意。C 探長繼續問大家，有可能游泳渡過臺灣海峽嗎？他們回答不可能。C 探長進一步問要怎麼過去？探員們大多回答坐飛機或是坐船。C 探長繼續說，所以當我們有這紅色的玉玦，不單單只是它看起來漂亮，更代表距離現今三千年前的人有超級高的航海技術，以及文化交流，這非常的了不起。說到此，探員們較能感受到此玉玦的重要性，紛紛點頭。

　　突然之間，李經理說有重要的事情宣布，他宣布要放棄這個開發案。現場一片譁然，少年偵探們與 Pinik 都愣住了。李經理說他沒有想到這個開發案會影響到 Pinik 的人身安全，因此他決定放棄，並說所有的責任，如違約金等等他會來扛。此時更讓人驚訝的，是 Pinik 竟然勸李經理再思考一下，畢竟這個開發案對李經理真的很重要，而博物館可能也真的需要開發案帶來的人潮。

　　由於雙方的態度都太戲劇化的轉變，C 探長請李經理與 Pinik 都先離開，並趕快召集探員討論這到底是怎麼一回事。此時探員們紛紛表達驚訝，或是強調李經理與 Pinik 之間一定有神祕的關係。大家眾說紛紜之際，C 探長此時問大家有沒有聽過「哈姆雷特」，進而提到「哈姆雷特」一劇中，由於哈姆雷特懷疑他叔叔殺了自己父親而取代了他的王位，但因苦無證據，便邀請一個戲班子來演出哈姆雷特，揣測叔叔如何暗殺父親的劇情，並且在演出時仔細觀看他叔叔的表情，來判斷他是否真的有殺自己的父親。C 探長邀請探員推論這整件事情的原因，並在李經理與 Pinik 面前演出來，來看看他們對哪一個版本有反應，那可能就是真的。

　　大家聽之後覺得非常有趣，便各組進行討論。探員們紛紛提出幾種不同的假設，例如李經理與 Pinik 是夫妻或是情人，有著不同工作或感情的糾紛等等，並接著排練。然後，我們邀請兩人進來，演出各組的推論。

圖 4-5
我們使用戲劇的形
式，來猜測事實的
真相到底是什麼。
圖為青少年排練情
形

在演出時，少年偵探往往都是笑成一片。演出之後，C 探長說在剛剛演
出時，當某組演到兩人是情人的關係時，你們都有大笑的反應，這就是真
相吧！此時李經理與 Pinik 互看一眼，苦笑並嘆了口氣。Pinik 突然哭著說「對
不起，哥哥，我都在欺騙你！」然後兩人開始共同坦承整件事情的經過，
如下。

　　李經理與 Pinik 實際上是相差 9 歲的兄妹，而李經理是卑南族人，族
名叫做 Masaw。在 1980 年代台東開發鐵路新站時，Masaw 只有 6 歲，
便跟著 ama[8] 去盜掘賣給古物商。這對於當時 Masaw 的家來說，是改善
家計的一大筆錢，而其中最特別的一塊玉玦，他則留下來，想著等到最
有需要的時候才拿去賣，而這也就是被 Pinik 藏在鐵箱中，後來被我們
挖掘出來的那個玉玦。

當 Pinik 還是孩子時候，Masaw 一開始也會帶著 Pinik 去撿玉。但後來
Pinik 開始夢到 mumu[9] 說要把偷來的東西，還給地底下的祖靈們，便不
願意再過去。而當 Pinik 上學時，也學到越來越多關於文化與原住民的
事，也越來越不贊成哥哥的行為。此時 Masaw 也開始在開發公司中上
班，並且成為經理，經濟狀況也愈來愈好，而當 Pinik 大學要讀人類學
系時，就是由 Masaw 支持她所有的學費。

但當 Pinik 大學畢業之後，她開始公開質疑哥哥對台東採取開發的立場，甚至偷偷把哥哥藏在家中的玉玦藏起來，讓哥哥誤以為自己搞丟了這個玉玦。兄妹兩人漸行漸遠。妹妹 Pinik 對原住民文化非常有興趣，成了國立臺灣史前文化博物館的研究員，而哥哥 Masaw 則開始絕口不提自己原住民的身分，彼此甚至在父母親去世之後，就完全不來往了；而 Masaw 也就是在此時，由於與妹妹的決裂，開始養狗阿鳴，來撫慰自己。

直到旭日開發與卑南遺址公園要進行此開發案，兩兄妹才再次碰頭。但是 Pinik 知道，由於參觀博物館的人數很少，開發案幾乎勢在必行。於是她想出用威脅信的手法，要逼旭日開發案退出；同時，Pinik 還麻煩一位聘雇的臨時工扮演旭日開發員工，故意遺留背包要嫁禍給他們。而電話中與 Pinik 大吵一架的人，就是她的哥哥李經理，但是 Pinik 怕大家知道她自導自演這些事情的原因，所以也故意假裝自己被綁架、失憶…。而 Pinik 為何刻意在電話中用謎語說出玉玦埋起來的地點，甚至將密碼設定為阿鳴的生日，Pinik 自己也不知道，或許她期待哥哥 Masaw 能夠真的了解史前卑南文化、進而找到自己藏起來的玉玦吧！

李經理說他這些年雖然沒有與妹妹聯絡，但是他一直默默的關心她，若有了開發案之後，卑南遺址公園就會有更多的遊客，進而讓更多人認識卑南文化、也可以讓更多的族人不用離開家去尋找工作機會、同時也有更多的資金讓妹妹做更好的研究。Pinik 也說自己也一直關心著哥哥，可是她還是要阻止開發案，因為這是 mumu 告訴她的。而探員們在聽他們兩人自白的過程中，都深深地投入而被感動著。

七、反思與收尾

探員們似乎對於兩人都有著不同程度的同情，尤其是對於 Pinik。C 探長此時說這件事情的對錯，需要聽聽偵探們的意見。於是 C 探長將探員分成兩邊，

---

8   ama 是卑南族語「父親」之意。
9   mumu 是卑南族語「祖父母」之意。

各自站在李經理 /Masaw 與 Pinik 的角度，以「拔河」[10] 的形式，看看哪邊說的比較有道理。此時少年們雖然都承認 Pinik 用威脅信、製造假綁架案的方式是錯誤的，但是都覺得李經理一開始用這麼兇的態度是不對的，並且表達臺東不需要開發，有好山好水比較重要；還有一位少女提到同樣的一萬元在臺北很難生活，但是臺東就可以過得很好了，這引起大家極大的共鳴。少年偵探都一面倒的同理 Pinik，覺得 Masaw 及其代表的價值觀都是錯誤的。

C 探長接下來則拉回如何處理罪行本身來思考，建議各組提出意見來，並且用「投票」[11] 的形式來表達究竟要如何處理 Pinik 所犯的錯，而以下是各組所提出的選項 [12]。

（一）請李經理加強卑南遺址園區的軟硬體設施。

（二）請李經理與妹妹和好，並請他蓋很多棟房子、並送給探員一人一台電腦，並且不要再做壞事了。

（三）請李經理與臺東縣民道歉，為探員每人買一雙鞋子，並且喝 6000 cc 的水與跑撒哈拉沙漠做懲罰，我們就裝沒事。

（四）請李經理與妹妹和好，互相道歉之後，我們就裝沒事。

（五）請妹妹與哥哥和好，不要再吵架，並且把玉玦還給遺址公園。

當我們一票一票的開票時，由於票數非常的接近，每一票開出來時，大家都有非常熱情的反應，尤其是當懲罰李經理的票被開出來時，大家都在歡呼；而最後投票的結果，選項二與三都是 6 票，而選項五則是 7 票。於是，C 探長便請 Pinik 與李經理現場和好，請他們在台上互相道歉。當他們兩人在台上擁抱時，台下的探員們都明顯地放鬆與感動。

最後，C 探長邀請各組內部分享這幾天印象最深刻的活動，並且也做澄清，提到這個玉玦並不是真的玉玦，是網路上買的仿玉玦商品。而目前在史前卑南文化中，也並沒有找到與中國華南地區互動的證明，但是其他的相關知識與史實都是真的。而當我們邀請所有參與的工作人員上台謝幕，要進行結束儀式時，參與的青少年們有些人則說「什麼！你們都是假的！我們被騙了 3 天！」這樣的聲音此起彼落著，有些是以開玩笑的語氣，有些則是相對比較認真。我則在台上解釋與說明著，同時也再次感謝所有參與的人，並且邀請他們一組一組上台進行結束的致贈儀式。最後，則在隊輔與隊員的彼此歡笑聲，結束這一梯次營隊。

反思與結論

在此梯戲劇營隊結束時，許多的青少年吃驚地表達原來這 3 天的事件都是「虛構」的、並表達出受騙的感受；而戲劇營隊的獨特性及高成本，也讓我有以下幾個層面的反思。

一、美感距離之掌握

通常在設計過程戲劇營隊時，我們很重視如何引導參與者進入擬真的戲劇情境，並將其應用在課程設計、場景、道具、教師入戲等的使用。而當參與者表達 "受騙" 的感受時，一方面可能代表參與者能夠近距離地經驗戲劇情境，並且深入思考其議題；但是另一方面則可能因為內在沒有足夠安全距離，對於參與者有著負面的影響，如當他們在偵辦綁架案時，有的人可能是真實的害怕而躲在團體的後方，抑或是在營隊結束後，有被背叛的感受。

當我在帶領的過程中，原本就有意識、並且不斷地調整審美距離[13]。當我察覺到大家過度投入時，會刻意的開玩笑或認真地講不重要的事，讓大家藉著帶領者的跳脫情境而產生疏離效果[14]。根據我在臺北與特殊青少年的工作經驗來說，青少年要進入戲劇情境，其難度遠高於要參與者過度投入，也因此，我以為我在帶領時的調整應該已經足夠找到審美距離的平衡，但在最後才發現仍然不足。

10　「拔河」為我創造的教育戲劇習式。我們將團體分站兩邊做意見相反的集體角色，而帶領者在團體的中間，聆聽兩邊的集體角色輪流發聲，若覺得某邊的意見有道理，則他會往該方向走近一步，然後換另一邊集體角色發言，彷彿兩邊拔河，看帶領者最終往哪裡站。

11　「投票」為教育戲劇的習式之一。帶領者邀請參與者以實際投票的形式，來表達自己的意見。在過程中每個人都是匿名投票，不會受到團體動力的影響，而且開票時是使用一張一張公布的方式，會增加開票時大家期待與失落的張力感。

12　在這些選擇中，我們可以看到對於少年探員們來說，他們最期待的是兄妹和好，而不是處罰某人。這似乎也反應出我所認識的部落文化，往往期待的是平息衝突，而非面對衝突。此外，由於大家一致地覺得李經理的行為是錯誤的，讓我想到李經理可能不只是代表 Pinik 的哥哥，他也象徵著有權力並且會發脾氣的人，與想對臺東進行開發的意識形態，或是背離原本文化脈絡的原住民…等不同的可能性。而少年偵探們對於李經理的懲罰，可能是對於以上幾個不同層面的思考及其行動。

13　審美距離（aesthetic distance）為英國美學家布洛（E. Bullough）所提出來的審美理論。他認為當觀賞者在做藝術賞析時，需要在距離過近（情感過度認同作品），與距離過遠（完全無法認同作品）之間，找到適當的距離，方能賞析。

14　疏離效果（alienation effect）為德國戲劇家布萊希特（B. Brecht）所提出的概念。他會採取不同的方式，如客觀的講述、簡單的舞台或跳脫寫實情境的歌舞，打破劇場擬真的幻覺。

因此，我們在帶領第 2 梯以兒童為主的營隊時，採取了更多的行動來阻止參與者過度的投入，如在每天營隊開始時都會提醒大家這是戲劇的營隊，同時在每天結束時的小組討論，都會邀請他們跳脫角色與情境來評論該日的活動，似乎也因此，當營隊結束時並未發生類似的情形。這讓我思考，面對同樣特殊議題的青少年，也許因為城鄉的文化刺激經驗不同或是其他因素，會造成審美距離的差異，而這需要去注意而調整。

二、戲劇營隊的獨特性之優缺點

以過程戲劇營隊來認識博物館及其展品的形式，賦予參與者獨特的角色身分來體驗戲劇情境，並且能夠更細緻的依據參與者的身心狀況來提高體驗的樂趣。但它的獨特性也注定了它的不可複製性，以及有限的參與者人數。以文中所提到的卑南救援行動為例，除了在 2019 年暑假帶了兩梯共約 40 人次之後，要到 2021 年的暑假才能因為申請到經費而辦理此活動。對於一個需要經過 4 個月的細緻討論才產生出來的課程而言，這似乎相當不符合經濟效應。

如何能夠降低此戲劇營隊之成本，並擴大觀賞者人數，將是未來重要的目標。在降低成本部分，有以下建議：

（一）重複辦理此營隊，好降低課程設計的固定成本。

（二）培訓在地戲劇教育帶領者，好減少帶領者從臺北到臺東的運輸成本。

（三）訓練博物館志工為隊輔，若參加者非有特殊需求之兒少，博物館志工應可在師訓後成為隊輔。

而在擴大觀賞者人數部分，有以下建議：

（一）縮短營隊天數，將 3 天濃縮為 1 天或半天；但因為時間的簡短，這也會影響觀賞者進入戲劇情境的體驗度。

（二）將營隊過程作為影片剪輯，以不同方式傳遞。

（三）將營隊轉換為任務包，讓參與者至櫃檯領取任務包之後，可以自行

---

15 朱銘美術館有針對兒童推出 JM 尋寶包，兒童可以到櫃檯領取三種不同任務包，任務包中有不同任務與引導手冊，讓兒童在成人的支持下進行任務探索。

進行，如同朱銘美術館的 JM 尋寶包 [15]。

　　博物館是藉著物品來探索人的地方，而戲劇則是藉著人來探索人的藝術，兩者有不同的方式，卻有同樣的目標。近年來許多博物館試著使用不同的媒介來增加觀賞者的體驗，諸如引入智慧感應、數位藝術、遊戲化設計等方式，期待能藉著「物」將觀賞者帶入情境中，進而理解知識，而過程戲劇則是藉著「人」，來轉換觀賞者的角色而進入情境。針對一般的欣賞者來說，戲劇營隊雖然精彩，但可能不符合經濟效益；但若就社會共融的概念，人數較少的戲劇營隊，反而能針對不同需求者來進行深化的探索，如 2021 年的史前館卑南救援行動，除了針對安置機構青少年外，也會針對聽損兒童來進行活動。在此謹以此戲劇營隊拋磚引玉，期待能引發更多種欣賞藝術的可能。

參考文獻

蘇慶元，2013。由外向內走──一種戲劇教學方式的可能性。臺北：臺灣師範大學第一屆師資培育國際學術研討會。

Gennep, A., 1960. The Rites of Passage. Chicago: University of Chicago Press.

Gardner, H., 1983. Frames of Mind: The Theory of Multiple Intelligences. New York: Basic Books.

Gardner, H., 2000. The Theory of Multiple Intelligences. New York: Basic Books.

O'Neill, C., 1995. Drama Worlds: A Framework for Process Drama. NH: Heinemann.

Piaget, J., 1936. Origins of intelligence in the child. London: Routledge & Kegan Paul.

Turner, V., 1967. The Forest of Symbols: Aspects of Ndembu Ritual. New York: Cornell University Press.

以策展孵化性別平等芻議：
以 AIDS 與 LGBTQ 為討論核心

鄭邦彥

前言

　　2020 年「國際博物館日」（International Museum Day）主題為「博物館平權：多元與包容」（Museums for Equality: Diversity and Inclusion），強調差異不應帶來偏見和歧視，而是多元。於此命題下的博物館，具有透過展覽以揭露差異、開啟公共對話、包容彼此的潛力，不再是過去社會不平等的製造者，轉型成為將追求平等—普世價值內化的實踐者。「博物館致力於追求平等」（museums for equality）是個抽象的概念，抽象在於「平等」有不同層次，如形式平等或實質平等，以及如政治學者或社會理論專家對平等提出思想上的啟蒙或創見；法律學者則是將平等的理論轉化為可操作的介面等範疇，值得探究（黃昭元，2015）。借用黃昭元對於平等的討論，「之於博物館，這是『誰』的平等」與「博物館如何『促進』平等」—這兩個提問實為關鍵，茲為本文的問題意識。

　　2013 年適逢 AIDS（Acquired Immune Deficiency Syndrome 的縮寫，醫學譯名為「後天免疫缺乏症候群」，中譯愛滋）作為流行病，由紐約向全球蔓延 30 年。同年 8 月，筆者於美國紐約歷史協會（New York Historical Society Museum & Library, 以下簡稱 NY History），因緣觀賞了「AIDS 在紐約：最初五年」（AIDS in New York: The First Five Years, 以下簡稱「AIDS 在紐約」）與「AIDS 兒童：活力與回憶」（Children with AIDS: Spirit and Memory, 以下簡稱「AIDS 兒童」）雙聯展。多年後，筆者有意為 2020 年國際博物館日主題撰寫專文，這段 AIDS 的觀展經驗，再次浮現。前者特展，筆者似乎沒什麼特別印象了；後者是一個小而美特展，其中，AIDS 病童 Anthony 如同聖像般的黑白影像，深刻烙印在筆者心中。值得注意的是，此雙聯展採取迥異的策展內容與訴求，同時隱含了展演「博物館如何『促進』平等」的意圖，試圖觸發觀眾

對「不平等」的感同身受。此時，筆者或已遺忘的觀展經驗，再被喚起。

感受 AIDS：由個人觀展經驗談起……

AIDS 在紐約展，聚焦於 AIDS 作為流行病，1981 至 1985 這短短五年間，在紐約所造成的全面性影響。一如策展人 Jean Ashton 所言，策展主軸並不在於 AIDS 作為疾病的歷史研究，而是反應特定時空下 AIDS 病毒如何造成這個城市在社會、政治結構上的全面性撕裂（Rothstein, 2013）。為了再現這段被撕裂的時空，該展大量使用了的檔案文獻、照版海報，以及新聞報導和訪談。如此的展覽內容，之於母語非英語觀眾而言，似乎顯得陌生，超過負荷，恐已遠離生活經驗，難以理解，只能走馬看花。因此，筆者對 AIDS 在紐約展的最後沒留下什麼印象；反之，AIDS 兒童展，則以病童（及其照顧者）的黑白影像，喚起筆者的情感共鳴，如臨病童善終的生活現場。兩者迴異的觀展經驗，也是必然。

一、公眾歷史 @ 博物館：AIDS 在紐約展

AIDS 在紐約展，筆者透過官網、當時媒體介紹和展覽評論，再次重溫（NY History, 2013; Rothstein, 2013）。該展完全以時間鋪陳，分為三個子題。首先，「序曲」（The Beginning）子題裡，呈現這五年間，由於對 AIDS 缺乏足夠的資訊和認知，論及此疾病，人們多半因未知而心懷恐懼，甚至帶著歇斯底里（hysteria）的情緒。如同當這場流行病蔓延之初，在 1986 年以 AIDS 作為病毒的正式醫學名稱之前，被稱為「男同性戀免疫缺乏症」（Gay-related immune deficiency, GRID），這些都是被莫名恐慌簡化的無知和偏見。

該展意圖呈現的第二個子題「流行病的恐懼」（The Epidemic of Fear），則是因偏見所被觸發的一連串群眾反應。當時醫學專家已能初步辨識 AIDS 病毒，但仍所知有限，積累了不少的恐懼和怨民，如美國保守派共和黨政客派 Patrick J. Buchanan 就曾公開否定，指責同性戀，而 AIDS 正是來自上帝對他們不道德行為的天譴。當面對越來越多人死於 AIDS，為死者的守夜、默哀活動，以及當時醫療人員的心情，同時在展覽中呈現。如最早接觸 AIDS 病患的醫師之一的 Donna Mildvan，在展覽訪談影片裡，首度公開表達「我們不知道這將如何發展，但很害怕」的情緒（Rothstein, 2013）。

進入子題三「序曲之終結」（The End of the Beginning），1984 年法國巴斯德研究院（Pasteur Institute）終於成功辨識 HIV（Human Immunodeficiency Virus 的縮寫，醫學譯名為「人類免疫缺陷病毒」，中譯愛滋病毒），確認 HIV 將導致 AIDS 疾病，裝有病毒試劑盒的黃色手提箱成為展覽選件之一。同時，介紹這時期投入宣導 AIDS 的同志倡議組織，如 Larry Kramer（1935- ）等代表性人物及其藝文創作。他先後籌組如 AIDS 平權聯盟（AIDS Coalition to Unleash Power，簡稱 ACT UP）等倡議組織，持續關注 LGBTQ 議題。

「有印象／陌生」在這段重溫歷程成為酵母，開啟筆者得到 AIDS 在紐約展「嘗試以博物館的視角，向觀眾切出一個以紐約市為中心之公眾歷史（public history）」的結論。紐約時報（New York Times）2013 年 6 月 6 日刊出 Edward Rothstein 撰寫「展示評論：瘟疫流行的五年」（Exhibition Review: Five Plague Years, Rothstein, 2013）專文，提供觀看此展的不同視角。該篇評論精闢、簡潔，開場破題「疾病永遠是一種干擾、侮辱、攻擊、毀滅。若有任何其他流行病，與美國紐約歷史協會的新展覽『AIDS 在紐約：最初五年』有所連繫，就是它所帶來的召喚」。譬如該策展刻意揭露：紐約市衛生局在第一時間檢測到 AIDS 病毒，紐約市政府遲遲未有立即處置，甚至造成美國政府在醫療政策上的無能的矛頭，指向當時紐約市長 Edward I. Koch 的消極不作為。Rothstein 評論指出「若展覽能夠引導觀眾對於當時所發生的事，在不確定和無知層面的多一些理解，這將會有所助益」，在新冠肺炎（COVID-19）流行當下讀來，亦顯鏗鏘有力。

二、微光中的同理心：AIDS 兒童展

AIDS 在紐約展，試圖以博物館觀點，將最初五年的公眾歷史視覺化外，特別安排一個小而美的聯展，名為「AIDS 兒童：活力與回憶」展，選擇性展示 Claire Yaffa 拍攝其中兩三位病童（及其照顧者）的身影，刻意選擇在獨立、封閉的微光藝廊（Lowlight Gallery）展出，期待喚起觀眾的共鳴與同理心，彰顯這段公眾歷史另一個不容忽視的面向。

1988 年，天主教紐約總教區（Archdiocese of New York）為了讓患有 AIDS 的病童，得到應有照顧，有尊嚴地善終，與哥倫比亞大學兒科系（Department of Pediatrics, Columbia University）共同成立聖子兒童中心（Incarnation Children's Center）。病毒蔓延之初，有一群兒童因故成為 HIV 帶原者，有人病發，他

們往往受到忽略、遺棄或虐待，是最弱勢的一群人，多數病童沒能順利長大。當時 Yaffa 長期投入以紀實攝影為兒童、青少年病患記錄肖像，接受兒童中心邀請並獲得許可，自 1990 年起歷經 10 年，進入中心拍攝病童的生活世界，先後捕捉了數 10 名病童哀傷、純真的容顏，他們算是最年輕的病毒受害者。

當筆者走進近似黑暗的展場空間，至今仍令人印象深刻的是：一幅 Anthony 站在陽光灑滿窗戶前的黑白照片，他面帶微笑、身穿小王子（little prince）T 恤、雙腳外敞，被光線包圍，成為黑暗微光中的主角；另一幅 Anthony 依偎在中心志工 Jack 身旁，跟他的兩位朋友一起玩耍的影像，讓人感受到他們生活在應有的照顧和滿滿的關愛裡； Anthony 最終不敵病毒的打擊，臨終前握著 Connie 和 Abagail 兩位修女雙手的照片，令人心碎，成為觀眾難以磨滅的影像之一。

Jean Ashton（現任紐約歷史協會圖書館館長）時任 AIDS 在紐約展策展人，當她大量收集來自紐約公共圖書館、紐約大學（New York University）、LGBT 國家檔案局（National Archive of LGBT History）與私人藏品後，得到以下結論：策展主軸並不在於 AIDS 作為疾病的歷史研究，而是反映特定時空下 AIDS 病毒如何造成這個城市在社會、政治結構上的全面性撕裂（Rothstein, 2013）。這結論亦反映在以策展書寫公眾歷史及其敘事策略的轉向，因為大量的策展資料，指向：具有同一性的集體記憶與情感，這正是 AIDS 在紐約、AIDS 兒童雙聯展之立意所在。是故，此雙聯展分別以不同視角，提供觀眾體驗 AIDS 病毒對紐約的全面性衝擊，其所帶來截然不同的觀展經驗，互為表裡。

讚頌 LGBTQ：以「行動主義」介入策展

一、策展：介入的行動

2013 年同年，美國紐約市立博物館（Museum of the City of New York）擴建後重新開館，首要常設展名為「紐約行動者」（Activist New York, 以下簡稱「紐約行動者展」），AIDS 亦是子題之一。該展嘗試以行動者（activist）的觀點及「行動主義」（activism）之名，探究由 16 世紀至今，以紐約為發展中心的重要關鍵時刻。依時序先後，以政治與人權、宗教自由、移民、性別平等、環境倡議與經濟自主等主題。展覽單元持續更新，至今已擴充為 24 個關鍵時刻（部分內容撤展後，仍提供線上瀏覽）。

揭開序幕的「讓我們住下來—在荷蘭新阿姆斯特丹，為宗教自由而戰 1650-1665」（LET US STAY: The Struggle for Religious Freedom in Dutch New Netherland 1650-1664，以下簡稱「讓我們住下來」）展，即是形塑紐約的第一個關鍵時刻。該展訴說 17 世紀中期第一批來到荷蘭新阿姆斯特丹（今紐約州、新澤西州）的新移民，為了爭取宗教自由的抗爭故事。他們有人是基督新教貴格會（Quakers）和浸信會（Baptists）信徒，其中也有猶太人（Jews）。在當時殖民主義不准許任何宗教活動的氛圍下，1657 年就曾有 31 位為貴格會辯護的新移民被逮捕，最後在弗利辛恩（Vlissingen，今紐約皇后區法拉盛 / Flushing, Queens）居民的協助下，於此定居。在「讓我們住下來」展中，他們不再是當時被壓迫的宗教少數族群（religious minorities），而是化身為紐約第一代的行動者。

策展人 Sarah J. Seidman 指出：她將行動主義用來檢視意識形態本身的多元與複雜，然而並不加以定義—「並未針對『行動主義』提出一個狹隘的定義，也沒有將『行動主義』視為是『意識型態光譜』（ideological spectrum）的另一面」（Ellin, 2019）。於此意圖下，「抗議」（protest）成為一種策略與方法，用以檢視意識形態的交織路徑，策展成為「介入的行動」，重新詮釋並敘說影響紐約發展的關鍵故事。

二、行動者的讚頌：同志是善良的展

紐約行動者展裡，AIDS 沒有缺席，被嵌入更廣闊的社會運動脈絡，這個關鍵時刻被命名為「同志是善良的：男女同志民權運動 1969-2011」（GAY IS GOOD：Civil Rights for Gays and Lesbians 1969-2011，以下簡稱「同志是善良的」展）。當 AIDS 首位病例於 1981 年在美國加州洛杉磯剛被發現時，它所帶來的不只是疾病，伴隨更多的恐懼與污名，但在廿年後的紐約行動者展裡，AIDS 召喚出不同世代的紐約行動者，亦成為紐約行動者展，在性別平等（gender quality）主題下的子題之一。

同志是善良的展，以 1969 年 6 月 28 日石牆運動（Stonewall riots）揭開紐約同志行動者（New York's gay activist）為爭取自身權益而集結抗議的序曲，接續於 AIDS 剛流行的 80 年代，這群行動者再次集結，以 AIDS 行動者（AIDS activists）自居。當疫情持續擴大，他們自發性組織如 ACT UP 等倡議團體，用以對抗紐約州政府未有積極作為的困境。這波

運動的近期主張，則是不分同性戀、異性戀——我們應享有一樣的婚姻權利。2011 年 6 月 15 日美國紐約州眾議院終於通過同性婚姻法案，為該展劃下句點。

1969 年，Craig RodWell（1940-1993）將 "GAY IS GOOD" 橫幅舉在眼前，站在書店門口的黑白照片，不只成為展覽主視覺，亦提供命名靈感，帶有善意與讚頌的意圖。 RodWell 身為同志，也是該展介紹的行動者之一，是全球第一間同志主題書店「奧斯卡‧王爾德紀念書店」（Oscar Wilde Memorial Bookshop）的創辦人，亦為首屆同志遊行（the first gay pride parades）的主要推手。有別於 AIDS 作為同志污名標籤的連結，該展命名有意識地將「善良」與「RodWell 身為同志的身影」交疊在一起，除了揭露同志族群身處於異性戀社會，曾經被認為是變態的偏見與歧視外，「讚頌差異」的策展意圖成為最大亮點，為觀眾帶來多元且差異的當代視野。

整體而言，紐約行動者展——不再是靜態的展示，更像是透過策展將一連串政治意識型態顯影的介入行動，17 世紀中期受壓迫的宗教少數族群至晚近黑人民權運動者，皆為顯影對象；任何策展內容的增補都是挑戰，因為內容本身會一再攪動和翻轉，重要性在於，透過每一個關鍵時刻，紐約市的過去、現在與未來，不斷形構。

三、記住 AIDS：我們為何而戰展

不約而同，紐約公共圖書館（New York Public Library）也於 2013 年以 AIDS 為題策展，命名為「我們為何而戰：記住 AIDS 行動主義」（Why We Fight: Remembering AIDS Activism, 以下簡稱「記往 AIDS 行動主義」展）。此展覽主標源自於 1988 年 ACT UP 於紐約州首府奧爾巴尼（Albany）主辦示威遊行，AIDS 行動先驅 Vito Russo（1946-1990）遊行時的發言稿，標題是「我們為何而戰」（Why We Fight），當時已被診斷是 HIV 帶原者，他說：

> AIDS 的確對我們構成挑戰⋯⋯有天 AIDS 危機終將結束。請記住這天到來時，一切已經過去，這世上仍有存活的人，不分同志和異性戀、男人與女人、黑人和白人，他們將會聽到這段故事：在這個國家與世界各地曾經發生可怕的疾病，有一群勇敢的人們站起來奮鬥；有人因此獻出生命，讓其他人能活下，得到自由。（Russo, 1988）

這段發言言簡意賅，直指該展的策展意圖，透過「改變對 HIV 帶原者的認知」（Changing Perceptions of People Living with HIV）、「安全性行為與共用針頭」（Safer Sex and Needle Exchanges）、「公眾哀悼」（Public Mourning）、「衛教行動主義」（Healthcare Activism）與「HIV 現況」（HIV Today）等子題，呈現 AIDS 不只是疾病，更是跨越國界的全球衝擊。

要言之，同志是善良的展、記往 AIDS 行動主義展，皆對 AIDS 行動者多有讚頌，不過策展意圖上，仍有些微不同。前者，同志是善良的展──不再是靜態的展示，更像是透過策展將一連串政治意識型態顯影的介入行動；相對之下，記往 AIDS 行動主義展──更有以策展帶入衛教宣導的意圖，呈現 AIDS 所造成的全球衝擊。

芻議之一：以「多元文化博物館教育」開拓觀眾視域

一、以「多元文化教育」為先鋒

1960 年代──為上述諸策展的主要時空背景，此時亦是美國民權運動（Civil Rights Movement）萌芽階段，其訴求在於：以非暴力的抗議行動，爭取民主權利，召喚出行動者的現身。於此運動中，「多元文化教育」（Multicultural Education）成為學校教育改革的重要思潮，與傳統的博物館教育互有重疊、彼此影響。

Nieto（1992）強調多元文化教育是學校整體改革的過程；Banks（1993a）認為多元文化教育是一種概念，是一種教育改革運動，也是一種過程。由此，建構以性別、階級、族群等為核心的多元文化教育，其目標和理論主要落實於學校教育中的課程發展模式、教學策略、校園環境營造等面向（Banks and Banks, 2001；譚光鼎等，2001）。其中，課程的「再概念化」（re-conceptualization）是多元文化教育關注的面向之一（Pinar, 1975；陳伯璋，2003），Banks（1993a）依課程架構「再概念化」的調整程度，提出多元文化課程改革的四種模式：「貢獻」（the contribution approach）、「附加」（the additive approach）、「轉型」（the transformation approach）與「社會行動」（the social action approach）等（圖 5-1）。

Banks（1993b）接續在〈正典爭論、知識結構與多元文化教育〉（The

canon debate, knowledge construction and multicultural education）一文裡，則將知識分為個人／文化（personal / cultural）、通俗（popular）、主流學院（mainstream academic）、轉型學院（transformative academic）、學校（school）等五種類型，各類型知識的關係（圖 5-2）。劉美慧（2006）透過文獻分析，進一步指出：

> 多元文化教育的研究已經逐漸從邊陲到中心，論述可分為二種取向：一是「讚頌差異、欣賞多元」，強調學校內的多元文化課程改革；另一種是「關懷弱勢、追求公義」，強調以教育作為追求社會正義的空間，透過社會運動促成整體社會結構的改變，而後者才是多元文化教育的最終目標。（略）如果我們超越「課程呈現的是誰的知識？」的提問，思考「文化如何被再現？」我們將會發現這種貢獻與附加取向的課程發展模式，呈顯的是表面文化、具體文化，難以展現文化的深度與意涵，甚至會加深大眾的刻板印象（劉美慧，2006：149）。

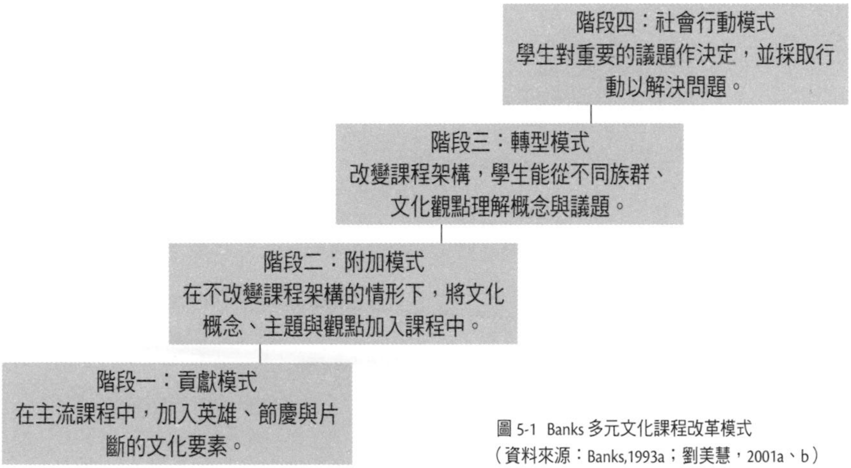

階段四：社會行動模式
學生對重要的議題作決定，並採取行動以解決問題。
階段三：轉型模式
改變課程架構，學生能從不同族群、文化觀點理解概念與議題。
階段二：附加模式
在不改變課程架構的情形下，將文化概念、主題與觀點加入課程中。
階段一：貢獻模式
在主流課程中，加入英雄、節慶與片斷的文化要素。

圖 5-1 Banks 多元文化課程改革模式
（資料來源：Banks,1993a；劉美慧，2001a、b）

個人／文化知識
通俗知識
主流學院知識
轉型學院知識
學校知識

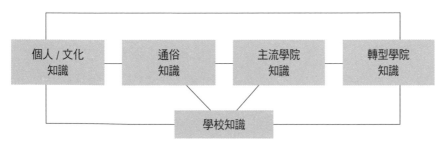

圖 5-2 Banks 不同知識類型的相互關係（資料來源：Banks, 1993b: 6, fig1）

　　然而，傳統博物館起初所提供知識類型近似於「學校知識」，多半緣自於「主流學院知識」與「通俗知識」；晚近隨著新博物館學（New Museology）思潮，逐漸將「個人／文化知識」為核心的社群觀點、經驗與知識納入。若以本文的同志是善良的、記往 AIDS 行動主義兩展覽為例，皆隱含了將同志社群觀點納入策展的意圖，已於主流意識形態中，加入了 LGBTQ 的文化面向。

二、以「博物館多元文化教育」開拓觀眾視域

　　過去博物館多半以單一文化觀眾群（monocultural visitor profile）為主要訴求，忽略不同文化差異的觀眾需求，博物館雖已察覺此現象，卻處於不知如何改變的困境中（Hooper-Greenhill, 1997）。換言之，過往以研究員、典藏品為主的策展，往往忽視文化差異的存在，隱含比例不一的通俗知識與主流學院知識，構成博物館教育的主要內涵；相較而論，若以多元文化觀點檢視博物館教育，終將促成博物館知識的轉型，趨近於「轉型學院知識」。

　　Lindauer（2007）以批判教育學（critical pedagogy）檢視策展觀點，為博物館知識的轉型揭露可行的路徑。不過，歐美博物館學界早期探究「博物館多元文化教育」（museum multicultural education）或「多元文化博物館教育」（multicultural museum education）專論並不多，以 Suina（1990）和 Golding（1997）為代表；近期聚焦於多元文化主義如何實踐於美術館的理論與具體案例，以 Acuff 和 Evans（2014）為代表。Suina（1990）認為博物館不僅能跨時空呈現多元文化，更具發展多元文化教育的潛力，提供有別於學校的學習經驗，如何為青少年提供多元文化教育的靈感與批判性態度，乃是博物館教育人員（museum educator）的使命。

　　Hooper-Greenhill（1997）結集《文化多樣性：發展英國博物館觀眾》（Cultural diversity: Developing museum audiences in Britain）一書，試圖以博物館展覽、導覽方案、館校合作等案例，呈現英國博物館與學界共同面對當下多元觀眾的挑戰與努力，並以 Golding（1997）〈多元文化博物館教育的意義與事實〉（Meaning and truth in multicultural museum education）一文，作為結論。她認為「多元文化博物館教育的目標致力於透過觀眾群自身的世界與文化，增加其對世界文化的知識與理解……並借用 H. G. Gadamer 詮釋循環、問與答的辯證式對話模式，說明博物館藏品及其意義之間的關係」（Golding, 1997: 207）。

Golding 以英國倫敦霍尼曼博物館（Horniman Museum）為例，介紹以族群為主的多元文化博物館課程（multicultural museum curriculum）於小學一年級推動的兩個館校合作方案。據此，作者歸納多元文化博物館教育雖以藏品為中心，但更側重以不同概念重新理解、詮釋其意義。在詮釋學觀點下，當觀眾面對藏品對其提問的歷程中，已被引導朝向不同的方向，為當下存有（being）帶來更多可能，亦即博物館藏品不僅以自身向觀眾顯明其視域（horizons），更開拓觀眾視域（Golding, 1997: 223）。

2014 年，Acuff 和 Evans（2014）編輯《當今美術館裡的多元文化主義》（Multiculturalism in art museums today）專書，以「博物館教育人員作為改變的主體」（Museum educators as change agents）、「融入 vs. 排除」（Inclusion versus exclusion）、「與多元觀眾合作」（Collaboration with diverse audiences）與「回應教學法」（responsive pedagogy）等四子題貫穿，反映現階段歐美美術館（及博物館學界）對多元文化主義的理解和實踐。其中，「回應教學法」緣自於多元文化教育項下的「文化回應教學」（Culturally Responsive Teaching）。「文化回應教學」始於 1970 年代，旨在挑戰秉持文化普遍性或文化中立的傳統教學，反對學校成為製造相同產品的工廠，另有文化合適（culturally appropriate）、文化相關（culturally relevant）、文化相容（culturally compatible）等不同名稱（劉美慧，2001c），以 Gay（2000）《文化回應教學：理論、研究與實踐》（Culturally responsive teaching: Theory, research, and practice）專書為代表。回到 AIDS 在紐約、AIDS 兒童雙聯展，實已開拓了筆者的觀展經驗，成為「孵化性別平等」的搖籃。

芻議之二：以博物館策展「孵化性別平等」

一、博物館：推動社會變革的主體

早在廿年前，英國文化媒體及運動部（Department for Culture, Media and Sport, 以下簡稱 DCMS）出版〈作為社會變革的中心：為所有人的博物館、藝廊與檔案館〉（Centres for Social Change: Museums, Galleries and Archives for All, DCMS, 2000）報告，指出：博物館、藝廊與檔案館之所以阻礙社會參與（main barriers to a socially inclusive use），關鍵有四：其一，館所本身（或館員）造成使用不便的「機構因素」；其次為「個人與社會因素」所導致的社會隔離；

其三，因「感官或認知因素」導致不少群眾覺得博物館不是為自己設立，其中包括「受到主流社會孤立的群眾」；最後是「環境因素」造成的障礙。英國政府據此建議，透過以下三階段逐步消弭阻礙，達到社會參與（social inclusion）的目標。

第一階段：親近性（access）──先使博物館成為社會包容與近用（inclusive and accessible）的機構；

第二階段：觀眾發展──透過各種活動或展覽開發新的潛在觀眾群；

第三階段：使博物館、藝廊和檔案館成為推動社會變革的主體（agents of social change）。

時至今日，有為數不少的館所陸續進入第一、二階段，第三階段「成為推動社會變革的主體」非一蹴可幾，往往難度高，最不容易達成。之於本文，以 AIDS 與 LGBTQ 為題策展的背後，往往隱藏著「感官或認知因素『受到主流社會孤立』」（如 LGBTQ、AIDS 病童、海洛因成癮者、血友病病患、HIV 帶原者等）不同的差異身影。批判教育學創始人 Henry Giroux（1992）分析保守、自由與基進（conservatives, liberals, and radicals）等三種不同意識型態信奉者，面對差異（difference）時的不同態度，足以借鏡。

Giroux 指出：保守主義者視差異為異常，試圖加以排除；自由主義雖看見差異，卻加以隱匿；基進主義者主張，差異建構並根植於種族、階級和性別之上，於此認同中讚頌差異。要言之，保守主義者習慣將差異與異常（deviance）連結在一起，透過種族主義、父權制度及階級，將差異合理化；利用命名標籤化，排除特定族群的公共生活和政治身份，在此差異成為不平等、壓迫和認同的負面定義（negative definitions of identity）；其次，以美國種族議題為例，自由主義者雖將差異視為理所當然，但侷限於以文化多樣性討論國家議題，往往忽略社會經濟（如對於有色族群的壓迫與剝削）不平等議題，採取主流（如白人、男性、中產階級、歐洲人與異性戀）的社會觀點，拒絕傾聽他者（others）的聲音，以文化熔爐的觀點簡化他者；最後，基進主義者將差異視為是理解主體性與認同（subjectivities and identities）的核心概念，並在矛盾與多層次的情境之下不斷建構，是歷史與社會下的產物，亦為持續的轉化和改變的歷程。此外，基進主義者特別強調群體間的差異，如女性主義者（feminist）由此建構出認同政治（identity politics）。

回到 AIDS 策展，不約而同，揭露同志在主流社會裡的差異，他們曾經是被異性戀視為異常，被要求隱匿、噤聲的一群人，在 AIDS 流行之初的 80 年代，差異再度被看見，有人拒絕傾聽他們的聲音，有人勇敢站出來為自己發聲，也有醫療人員雖感到恐懼，仍基於本職為 AIDS 病患服務。此外，因故染病的無辜兒童亦受到應有照顧。之於不同策展人的敘事觀點，這些行動者身影和時代故事，得以被視覺化，化為公眾歷史的載體；當展覽主體有機會與觀眾個人經驗相遇時，無論是讚頌差異或感同深受，都將開啟公共對話的可能，具有包容彼此的潛力，當下內蘊差異的博物館藏品，得以化身為時代的見證，進而成為推動社會變革的載體。

二、實踐案例──吶喊：當代藝術與人權展

位於英國蘇格蘭的格拉斯哥當代藝術館（Gallery of Modern Art Glasgow, Scotland，以下簡稱 GoMA），2009 年 10 月至隔年 1 月策劃「吶喊：當代藝術與人權」（Sh[OUT]: Contemporary Art and Human Rights，以下簡稱吶喊）特展。特展附標為「男女同志、雙性戀、跨性別與雙性人藝術與文化」（Lesbian, Gay, Bisexual, Transgender and Intersex Art and Culture），策展主軸是「愛是人權」（Love is a human right），強調「當與心愛的人同時，乃是感到安全、自在的，閉起雙眼，即是放鬆與舒服的時刻，這就是愛。本策展裡所有作品，只不過是表達這個最絕對、最簡單不過的基本人權──『愛』」（Hollow, 2009: 7）。

作為當代藝術雙年展，其中當然不乏當代藝術巨匠，如美國攝影大師 Robert Mapplethorpe（1946-1989）以男同志間情慾、性虐待與被虐待（sadism & masochism, SM）為創作的 X 檔案（X Portfolio）系列攝影作品，以及 Del LaGrace Volcano（1957- , 37 歲那年接受變性手術，由女變男）直接呈現跨性別者（Transgender）的性器官，挑戰觀眾的觀感與認知等的作品（Macleod, 2009）。吶喊特展同時透過行動藝術家 Anthony Schrag 和 David Malone，邀請蘇格蘭在地 LGBTQ 團體和個人，如基督教「大都會社區教會」（Metropolitan Community Church）、天主教「追尋」（Quest）、伊斯蘭教「天堂」（Al-Jannah）等，以「以上帝形象製造」（Made in God's Image）為子題，參與策展。

當 GoMA 有意識迎接──具爭議的同志議題作為策展內涵時，卻也面臨主流社會的質疑與挑戰；特展入口處標註「請注意：本 sh[OUT] 展覽有關於性愛的色情藝術作品」，卻引起當地媒體以「公共藝廊裡露骨男同志情色」（Hard core gay porn in public art gallery）聳動標題向社會宣告。不出所料，引起一連串的社會仇視與抗議活動，引發了 GoMA 史無前例的政治和媒體風暴。其中，在社群參與的「以上帝形象製造」子題裡，名為「聖經」（the Bible）的作品上，出現了詆毀同志的文字。格拉斯哥市文化體育部（Culture and Sport Glasgow）與英國博物館藝廊研究中心（Research Centre for Museums and Galleries），針對吶喊特展，進行觀眾研究。研究呈現：透過該展留言條的設計，除蒐集觀眾經驗外，並記錄下了帶有抗議的情緒化留言；即便如此，仍有超過五成觀眾抱持肯定、正面的態度，接納 LGBTQ 社群並與主流社會共存（Sandell, Dodd & Jones, 2010）。是故，以吶喊特展為實踐案例的重要性在於：博物館有意「成為推動社會變革的載體」時，無可迴避的是——所需面對的衝突。

芻議之三：以「博物館行動主義」化解衝突

一、　博物館行動主義：持續反映、化解衝突

　　2012 年，Richard Sandell 再以吶喊特展為基礎，對策展歷程更加完整紀實，包括觀眾的感受和留言、參與策展社群態度的轉變、館方和館員的處理等，發展「博物館和人權架構」（Museum and Human Right Frame），進而提出：為了彰顯並提出如何克服社會不公正，博物館可視為道德行動主義（moral activist）的場域，作為結論（Sandell, 2012）。

　　細讀該文，不難查覺：在相當程度上，吶喊特展體現了「博物館以『策展』孵化平等」的渴望與實踐，而 Sandell 所提架構回應了「這是『誰』的平等」與「如何『促進』平等」的提問。譬如：選件本身誰選入／誰排除（Who's in and Who's out）已有相當難度，因當時參與策展的 LGBTQ 社群已有不同觀點；面對觀眾及公眾反應的複雜性，館方如何見機行事，以及館員因而對 LGBTQ 身份認同和經驗，有了轉化和不同的體認。博物館作為機構的能動性，早在 Sandell 和 Dodd（2010）專文中提出；最終，於 2019 年孵化了「博物館行動主義」（Museum Activism）詞彙誕生（Janes & Sandell, 2019）。

　　劍橋字典（Cambridge Dictionary）對行動主義（activism）的定義是「指

為達到政治或社會目的而採取的各種行動」（the use of direct and noticeable action to achieve a result, usually a political or social one）；朗文字典（Collins Dictionary）是「為了帶來政治、社會改變所採取一連串公開挑戰的行動」（Activism is the process of campaigning in public or working for an organization in order to bring about political or social change）。兩者大同小異，都是將行動帶來改變的一種意識形態。如此觀之，博物館早已是實踐行動主義的主體。

換個角度，「以策展孵化平等」所需面對的挑戰，若非身歷其境，外部研究觀點往往無法敘明其中的「神來一筆」或「最後一根稻草」。Hollows（2013）〈內在衝突的展演和行動主義的藝術〉（The performance of internal conflict and the art of activism）一文，作者 Victoria Hollows（時任 GoMA 當代藝術總監）親身參與並見證──吶喊特展於機構及體制內外的各種衝突。

Hollows 表示，特展結束已逾兩年多，在經歷此展的館員之間，仍存在一種私密、無法公開、近似創傷的感受與張力。她試圖透過訪談，重新梳理以社會正義議題策展時，所需特別面對的信任與溝通（trust and communication），以及與館員間的反映和學習（reflection and learning），冀以彰顯衝突背後的價值；訪談主要有兩組不同觀點，分別為基層館員（practitioner）和資深館員（senior manager），因其職責角色不同，面對吶喊特展所引出的輿論、觀眾抱怨等壓力的感受和回應，大相逕庭。當館方和館員共同致力於透求社會正義時，如何辨識這個持續發展、不斷變化的實踐歷程，成為關鍵。唯有如此，才能夠將因各式差異所造成的衝突，轉化成為共享的價值和決策歷程，並於下一次實踐時產生助益。

Levin（2020）在〈互換：博物館作為暴力場域〉（Crossing Over: Museums as spaces of violence）專文，也出現了與 Hollows（2013）類似的結論。該文是 2020 年《國際博物館》（Museum International）「LGBTQI ＋博物館」（LGBTQI ＋ Museums）專輯所收錄的專文。Levin 以難解知識（difficult knowledge）為論述，以藝術家 Carlos Motta 將 11 位 LGBTQI 難民的訪談紀錄、轉化成的影音作品，在「Carlos Motta：穿越」（Carlos Motta: The Crossing, 以下簡稱「穿越」）特展中播放，作為研究對象。

穿越特展，由阿姆斯特丹市立現代美術館（The Stedelijk Museum）策劃，展期於 2017 年 9 月至隔年 1 月，作品裡的難民，分別來自於埃及、伊朗、敘利亞、巴基斯坦等不同家鄉，最後落腳於荷蘭。他們身上同時帶有戰爭、政治與社會

等不同的壓迫和歧視，而觀眾可能帶有恐同（Homophobia）或跨性別恐懼症（Transphobia），如能透過展覽孵化（互換角色或心情）的同理心，為全文論述的重點及亮點所在。

作者 Levin（2020: 35）進而轉向討論性別策展的趨勢，分別是博物館學近期很樂見的三個趨勢——同理心（empathy）、行動主義（activism）、安全感的創造或第三場域（the creation of safe or third spaces）。她指出：因為觀眾對展覽的反應實無法預測，期待透過展覽催化對話或呈現情緒，是以參與者（觀眾）彼此之間存在信任為前提；博物館總抱持對所有人歡迎的期待，不過有些觀眾仍帶有不必要的偏執，雖為館方帶來反感，不過亦帶來可能性。因此，要對展覽一旦開展就無法撤回、朝向不可預期的記憶空間前去，以及要對帶有善意的意圖策展，終將帶來痛苦，有所體認，並以「深層反映」（deep reflection）作為行動的先決條件，作為結論。此前提下的策展，不再只是社群參與者的融入，而是持續開放、回應與動能（open, responsive and dynamic）的歷程（Levin, 2020: 40）。

結語：期待在地的性別策展

2017 年，台北當代藝術館與香港驕陽基金會共同策劃「光・合作用——亞洲當代藝術同志議題展」（以下簡稱當代館、光合作用展），策展人為胡朝聖，展期自 9 月 9 日至 11 月 5 日。該展是我國公立美術館，也是亞洲首次以 LGBTQ 議題為主軸的策展，集結來自香港、臺灣、中國、新加坡和旅居美加的 22 位華人藝術家，共計 50 餘件作品參展。若以 2009 年的吶喊特展以及前述相關研究為參照，兩特展先後已逾 8 年，觀眾所處時空情境，皆或不同，值得關注的是：當代館是否也曾面臨和 GoMA 一樣的衝突？如何化解？（抑或沒有衝突？）

有別於 AIDS 在紐約、AIDS 兒童雙聯展的觀展經驗，筆者對光合作用展，至今仍存有「歡樂」的感受。歡樂在於：筆者觀展當天下午，只見多數觀眾為年輕世代（或謂「文青」），他們未曾經驗過去將同性戀視為禁忌或噤聲的年代，對 LGBTQ 身份與議題多半已有認同，展場中的身影或許因而稍顯輕盈，讓筆者留下「歡樂」的印象。亦不同於吶喊特展，光合作用展出之際，未見何任反對或抗議的媒體報導；除郭強生（2017）外，相關藝評

一面倒地肯定該展具有里程碑的意義。

郭強生以「只限於溫室的『光合作用』」為題，評論指出：

> （略）22 位藝術家全都具有華裔背景，中港台星地區如何代表「亞洲當代」這個問題姑且不論，同志身份與血緣地緣之間的關係如何釐清（或建構），或許才是更值得探討的主題。充其量，我們只看見了某種同志的同溫層，只是表面浮光，離光合作用的發生還有很大的距離。（郭強生，2017）

若以「博物館策展是以其藏品為脈絡的實踐」為討論，要能夠找到足以支撐出「亞洲當代藝術同志議題展」的 LGBTQ 作品，並不容易；策展人胡朝聖如何由其中結組並建構「有意義的策展意圖」，更是挑戰。

綜言之，有別於其他行業，博物館策展是以其藏品為脈絡的實踐，因此，策展不太能夠天馬行空，需要透過藏品結組成為展覽內容，關鍵在於「有意義的策展意圖建構」。此意圖根植於策展人對自身專業及其時代的體認與高度，無可否認——當差異透過策展被揭露並外顯於觀眾面前，博物館不再中立，而是已採取特定的視角，邀請觀眾走進策展人所設定的展覽觀點裡，雖觀眾未必能接受。之於此動態意義的建構歷程，策展人對於差異的理解，格外重要。

博物館致力於追求平等、推動社會變革，除上述關鍵外，應尚有其他兩個因素：一為以政策支持的博物館（作為機構）；二是生活其中並對推動變革有具體想望和實踐力的博物館人（以個體及其團隊回應）。若無機構支持，徒有具實踐動力的博物館人，恐怕孤掌難鳴；若機構內欠缺對於「如何『以策展孵化平等』的渴望、想像和實踐動力」的博物館人，博物館推動社會變革，往往成為口號或海市蜃樓。總之，各項關鍵缺一不可，謹以本文梳理性別策展的轉向及其相關案例，期待下一個以 AIDS 與 LGBTQ 為題策展的在地實踐，拭目以待。

致謝：
本文原發表於 2020 年 5 月《故宮文物月刊》，題名〈差異—博物館持續學習的母語〉，經《故宮文物月刊》同意擴充改寫，特此申謝。

參考文獻

陳伯璋，2003。新世紀課程研究，國家政策季刊，2（3）：149-168。

黃昭元，2015。從平等理論的演進檢討實質平等觀在憲法適用上的難題。引自：李建良主編，憲法解釋之理論與實務（第九輯），頁：271-312。臺北：中央研究院法律學研究所。

郭強生，2017。亞洲當代藝術同志議題展，只限於溫室的「光合作用」。https://talks.taishinart.org.tw/juries/kjs/2017092705，瀏覽日期：2021 年 8 月 2 日。

劉美慧，2001a。多元文化課程設計。引自：譚光鼎、劉美慧、游美惠主編，多元文化教育，頁：208-211。臺北：空大。

劉美慧，2001b。兩性平等課程的再概念化，兩性平等教育季刊，16：75-81。

劉美慧，2001c。文化回應教學－理論、研究與實踐，課程與教學季刊，4（4）：143-151。

劉美慧，2006。「課程探究」期刊 2003 至 2005 年多元文化教育專題分析，中等教育，57（3）：140-151。

譚光鼎、劉美慧、游美惠，2001。多元文化教育。臺北：空大。

Acuff, J. B. & Evans, L. （Eds.）, 2014. Multiculturalism in Art Museums Today. Lanham, MD: Rowman & Litlefield.

Banks, J. A. & Banks, C.A. （Eds.）, 2001. Multicultural Education: Issues and Perspectives （4nd Ed）. Boston, MA: Allyn & Bacon.

Banks, J. A., 1993a. Multicultural education: Characteristics and goals. In: Banks, J. A. & Banks, C. A. （Eds.）, Multicultural Education: Issues and Perspectives, pp.1-27. Boston, MA: Allyn & Bacon.

Banks, J. A., 1993b. The canon debate, knowledge construction, and multicultural education. Educational Researcher, 5: 4-14.

DCMS, 2000. Centres for Social Change: Museums, Galleries and Archives for All. London: Department for Culture, Media and Sport. https://webarchive.nationalarchives.gov.uk/20100113222743/http:/www.cep.culture.gov.uk/images/publications/centers_social_change.pdf. Retrieved April 17, 2020.

Ellin, A., 2019. The Roots of Activism in New York City. New York Times. https://www.nytimes.com/2019/10/23/arts/activism-in-new-york-city.html. Retrieved March 25, 2020.

Gay, G., 2000. Culturally Responsive Teaching: Theory, Research, and Practice. New York: Teachers College Press.

Giroux, H. A., 1992. Border Crossings: Cultural Workers and the Politics of Education. New York & London: Routledge.

Golding, V., 1997. Meaning and truth in multicultural museum education. In: Hooper Greenhill, E. （Ed.）, Cultural Diversity: Developing Museum Audiences in Britain, pp. 203-225. London: Leicester University Press.

Hooper-Greenhill, E., 1997. Towards plural perspectives. In: Hooper-Greenhill, E. （Ed.）, Cultural Diversity: Developing Museum Audiences in Britain, pp. 1-11. London: Leicester University Press.

Janes, R. R. & Sandell, R., Eds., 2019. Museum Activism. London and New York: Routledge.

Levin, A. K., 2020. Crossing Over: Museums as Spaces of Violence. Museum International, 72 （3-4）: 28-41.

Lindauer, M. A., 2007. Critical museum pedagogy and exhibition development: A first step. In: Knell, S. （Ed.）, Museum Revolutions: Museums and Change, pp. 303-314. London: Routledge.

Nieto, S., 1992. Affirming Diversity: The Sociopolitical Context of Multicultural Education. New York: Longman.

NY History, 2013. AIDS in New York: The First Five Years （2013.6.7~9.15, Official website）. https://www.nyhistory.org/exhibitions/aids-new-york-first-five-years; https://www.nyhistory.org/exhibitions/aids-new-york-first-five-years-0. Retrieved February 24, 2020.

Pinar, W. （Ed.）, 1975. Curriculum Theorizing –The Reconceptualists. Berkeley CA: McCutchan.

Rothstein, E., 2013. Exhibition Review: Five Plague Years. New York Times. https://www.nytimes.com/2013/06/07/arts/design/aids-in-new-york-at-new-york-historical-society.html. Retrieved March 27, 2020.

Russo, V., 1988, Why we fight? (TheACT UP Historical Archive). https://actupny.org/documents/whfight.html. Retrieved March 25, 2020.

Sandell, R. & Dodd, J., 2010. Activist practice. In: Sandell, R., Dodd, J. & Garland-Thomson, R, （Eds.）, Re-Presenting Disability: activism and agency in the museum, pp. 3-22. London and New York: Routledge.

Sandell, R., 2012. Museums and the Human Rights Frame. In: Sandell, R. & Nightingale （Eds.）, Museums, Equality and Social Justice, pp. 192-215. London and New York: Routledge.

Sandell, R., Dodd, J., & Jones, C., 2010. An evaluation of sh[out] − The social justice programme of the Gallery of Modern Art, Glasgow 2009-2010. UK: Culture and Sport Glasgow and Research Centre for Museums and Galleries （RCMG）.

Suina, J. H., 1990. Museum multicultural education for young learners. Journal of Museum Education, 15 （1）: 12-15.

Hollows, V., 2013. The performance of internal conflict and the art of activism. Museum Management and Curatorship, 28 （1）: 35-53.

當我們在博物館金光閃閃：創意高齡的實踐

辛治寧

前言

　　從生理來看，一個人從出生的那一刻，便踏上了老化（aging）的旅程；老化的生物事實與每個人息息相關，是再自然不過的事。然而在心理和社會認知，老化似乎專屬於上了年紀的人，絕大部分的人只要時候未到，便希望與老化這件事的關係愈遠愈好。

　　當出生率下降、平均壽命上升，全球的人口結構起了很大的變化。65歲以上的人口比例逐步達到 7%、14% 及 20%，成為高齡化、高齡及超高齡的社會。這不僅是已開發國家的現象，也出現在發展中國家，是一個全球的趨勢。臺灣的高齡化進程自 1993 年成為高齡化社會，2018 年轉為高齡社會，預計於 2025 年邁入超高齡社會，屆時全國五分之一的人口皆為 65 歲以上。人口年齡結構快速地高齡化，2020 年 85 歲以上超高齡人口占老年人口10.3%，2070 年增長至 27.4%[1]。臺灣社會高齡化的速度名列前茅，老化不僅關乎高齡者，影響遍及社會整體，與每個人都息息相關。

　　面對全球的高齡化現象，要悲觀以對或正面看待？聯合國與世界衛生組織以「活躍／活力老化」（active aging）定調，主張高齡者不分年齡皆可持續活躍積極參與社會，以各種不同形式貢獻社會（WHO, 2002）。美國老人學專家 Cohen 也以「創意老化或創意高齡」（creative aging）概念，強調長者的創造力不會因年齡而衰退，多年研究也證明高齡者透過動靜平衡的社交活動、社會參與以及藝術活動，仍能全腦開發，創造和享受自己的黃金

1　資料來源：國家發展委員會「中華民國人口推估（2020 至 2070 年）」，2020 年 8 月。https://www.ndc.gov.tw/Content_List.aspx?n=695E69E28C6AC7F3（瀏覽日期 2021 年 1 月 30 日）

　　博物館做為一個社會機構（social institution），鑲嵌其中隨之發展，並與時俱進。回應高齡社會的當代脈絡和發展趨勢，全球博物館也開啟思考並採取行動，如何透過公共機構的力量和能量，弭平社會對老化的負面印象；善用博物館資源，正面積極地以活化高齡、預防和減緩失智以及創意高齡的目標，回應社會需要，發揮影響力。臺灣於 2016 年以「博物館創齡行動聯盟」的發起與啟動，博物館逐步展開專業人才培訓等相關實務工作，並與外部多元專業人員和機構合作，發展不同形式的創齡方案。創意老化不僅是新世紀老年研究的典範（劉婉珍，2015），創意高齡也是博物館於當代和未來具體回應社會、實踐文化樞紐的契機。

　　作者服務的國立歷史博物館（史博館）於 2015 年起關注及逐步投入創意高齡課題，並以實踐社群（community of practice）理念做為推動和行動的原則。本文除針對近年博物館投注於創齡的行動略作歸納，也將國際間和臺灣以藝術節形式推動創齡的重點擇要，提供博物館未來持續實踐創齡的相關建議和參考。

博物館與創意高齡

　　在既有定義中，闡明博物館是一個服務及促進社會發展的機構。雖然博物館的再定義迄今仍值修正階段，未有定論；關於定義修正的相關討論揭露，博物館應更具社會角色、鼓勵社群參與、彰顯社會價值等，以利發揮影響力的期許 [2]。關注並回應社會議題，致力於所處社會的相關性（relevance）與緊密的連結（connection），成為博物館做為社會機構的本質和重要任務（趙廷鶴、辛治寧，2017）。當社會逐步邁向高齡，博物館不僅必須予以回應（reactive），更有必要主動積極（proactive）。

　　隨著不同階段高齡社會的進程，如何協助高齡者以正面的觀念和態度面對生活，成為各界廣泛討論和共同關心的議題，也產生諸多概念相近的名詞。例

2　國際博物館協會關於博物館再定義的進程和方法，可參閱 https://icom.museum/en/resources/standards-guidelines/museum-definition/。

如「正向老化」（Positive Aging）、「成功老化」（Successful Aging）、「活躍／活力老化」（Active Aging）、「健康老化」（Healthy Aging）等（李世代，2010；陳麗光等，2011；邱天助，2011）。另有研究者進一步以「主觀—客觀」及「狀態（靜態）—歷程（動態）」兩個向度，將前述概念予以分類。從高齡者的主觀感受視「正向老化」為個人對自身老化經驗的全面、正向評價，奠基於認知、情感、及自我概念等基本心理歷程運作的終極狀態（陸洛、高旭繁，2016）。關於高齡研究的相關概念和名詞雖不盡相同，但皆以正面積極地面對高齡化趨勢，提升高齡者生活品質為最終目的。

「創意老化」（Creative Aging）也是以正面態度看待高齡者，更強調藉由創造性參與和技能掌握，有助於促進長者生理、心理及情感健康。以多年實證研究積極倡導的美國精神科暨老人學專家 Gene D. Cohen 醫師，證明腦部退化不是年齡增長的必然現象，即使 50 歲之後每個人皆可因年齡、經驗和創造力的整合，促進成長、開發大腦和潛力；創意活動滋養腦成長的成效對於失智症患者也不例外（Cohen, 2001, 2005, 2006；劉婉珍，2015、2017）。其目的旨在增進高齡者的健康福祉、社會參與和終身學習（Klimczuk, 2016）。國際間不少組織和團體自 2001 年陸續開啟對創意高齡的關注與推動，諸如美國有全國性的國家創齡中心（National Center for Creative Aging，NCCA）[3]；也有地方和社區性的美國中南部創齡組織（Creative Aging Mid-South）[4]；英國亦有創意高齡的專業社群（The Age of Creativity）[5]，致力有關推動創齡的專業分享、發展和連結。博物館也不例外，美國博物館聯合會（American Alliance of Museums，AAM）在其官網即特別設置博物館與創齡專區[6]，整合博物館有關創齡的相關專文與資源，做為倡議並提供博物館社群

---

[3] 創立於 2001 年，位於美國華府，致力於讓人理解創意表達與健康老化的密切關係，並發展有助推動創齡的活動和資源。可參閱 https://creativeagingresource.org/organization/national-center-for-creative-aging-ncca/。

[4] 創立於 2008 年，位於美國田納西州的曼非斯（Memphis），以促進該城市與中南部地區透過藝術活動提升高齡者的生活品質為目的。可參閱 https://www.creativeagingmidsouth.org/。

[5] 該社群由英國霸菱基金會（The Baring Foundation）於 2012 年設立，由 Age UK Oxfordshire 以非營利組織方式負責營運。

[6] AAM 於網站博物館與創齡專區（Museums and Creative Aging）開宗明義指出，至 2035 年美國 65 歲以上人口將達 7800 萬，高於 18 歲以下人口 7640 萬，凸顯高齡議題對博物館的重要性。可參閱 https://www.aam-us.org/programs/museums-creative-aging/。

除了健康高齡，博物館也逐步關注亞健康、甚至失智長者，期藉由博物館的具體行動，促進失智長者及照護者的創意生活。如紐約現代美術館（Museum of Modern Art, MoMA），自 2004 年開始前往日照和安養中心服務，2006 年推出阿茲海默症患者及其照顧者的「與我在 MoMA 相遇」（Meet Me at MoMA），之後持續以專案推動；另如澳洲國立美術館（National Gallery in Australia, NGA）於 2010 年發起「藝術及失智專案計畫」（Art and Dementia Program）；英國利物浦博物館自 2012 年起積極發展「記憶之屋 House of Memories」專案等（劉婉珍，2015，2017；陳佳利，2017a）；英國衛爾康博物館（Wellcome Collection）於 2016-2018 與倫敦大學及藝術家合作的樞紐計畫（The Hub）[7] 等，皆是國際間積極投入創齡並廣為人知的博物館標竿。

政策上，英國於 2014 至 2017 年透過「社會／社交處方」（social prescribing）計畫提供預防醫療的介入服務，2018 年英國衛生部正式將博物館及藝術創作活動納入預防醫療處方制度，預計於 2023 年全面施行（Todd et al., 2017；謝文馨，2018）；加拿大蒙特婁美術館（Montreal Museum of Fine Arts）積極地與法語醫學會合作，於 2020 年 11 月許可開立博物館參觀處方，爾後更提出博物館療癒（museotherapy）新概念 [8]。

臺灣自 2006 年關於博物館與高齡觀眾的研究陸續出現，包括高齡觀眾的參觀環境、博物館經驗、高齡者的博物館學習等。如趙廷鶴、辛治寧（2017）除進行相關研究的初步彙整外，也以全臺九個博物館取樣的量化研究，理解高齡觀眾的博物館經驗和需求。研究結果歸納以下幾項：博物館從健康高齡逐步擴及亞健康、失智長者等不同高齡者的關注；促進高齡者的社會互動和交流是其主要需求；以同理心建置更契合高齡者友善的博物館環境與積極作為，則是後續發展重點（趙廷鶴、辛治寧，2017：51-53）。在政策推動上，文化部於 2016 年經費支持國立臺南藝術大學劉婉珍教授團隊執行「博物館創齡行動深耕計

畫」，推動研發與國內外資源整合；並藉辦理「博物館創齡行動全國論壇」，邀集博物館界、醫界、公衛界與學界人士，以「博物館創齡行動聯盟」共同推動臺灣的創齡工程（劉婉珍，2017）。該深耕計畫雖於同年即止，藉由行動聯盟的集結與擾動，國內許多博物館、學術單位或福利機構紛紛投入專業人才培訓及實務工作，至今進而發展出不同形式的創齡服務方案。博物館與創意高齡的諸多可能性，儼然成為 21 世紀老年研究的新契機。另一方面，創意老化的觀點也引領博物館對自身為年長者可扮演的角色有所反思（陳佳利，2017b）（圖 6-1）。

臺灣博物館界的創齡實踐

高齡者參觀博物館無論是獨自前往或與親友同行，雖非博物館觀眾之大宗，但也佔有一定的比例。如以國立故宮博物院多年觀眾調查資料顯示，55 或 60 歲以上觀眾比例平均約占 1 成或以上 [9]。國內各博物館亦針對健康長者或家庭觀眾提供不定期或定期的高齡活動，如新北市政府自 2014 年起訂定每週二為樂齡日，新北市境內各公立文化場館包括鶯歌陶瓷博物館、黃金博物館、十三行博物館、淡水古蹟博物館、坪林茶業博物館、府中 15 動畫故事館等，定期推出適合長者參與和體驗的活動 [10]。

近年博物館友善平權概念的倡議，以及上述博物館創齡行動聯盟的擾動，不少博物館除更強化健康長者的服務外，也逐步擴及亞健康、失智長者與照護者、或如獨居長者等特殊需求的高齡者。諸如國立臺灣美術館與專業藝術治療師合作提供失智長者及其家庭「老當藝壯」專案，與社福單位合作邀請中部地區獨居長者來館的「藝開始就不孤單」專案；國立臺灣歷史博物館（臺史博）與臺南市熱蘭遮失智症協會、成大醫院失智症中心合作，辦理阿茲海默長者「寶島臺灣・歷史巡禮」活動專案；十三行博物館與北藝大博物館研究所陳佳利教授合作，並與臺灣失智症協會討論規劃

9　2007-2020 年故宮博物院觀眾調查報告，可參閱 https://www.npm.gov.tw/Article.aspx?sNo=03006230#02。

10　週二樂齡日暢遊新北市，可參閱 https://wedid.ntpc.gov.tw/happiness/detail/YeoPZBVKZgVl。

11　該館提供手冊免費下載以廣徵意見。https://www.ntm.gov.tw/information_276_123389.html。

12　「LiHA Pass」通用券取文學 Literature、歷史 History、藝術 Art 英文字首，由醫師開立 LiHA 處方箋，請長者或輕度認知障礙者去逛逛博物館。參閱 http://n.yam.com/Article/20201203918831。

左圖 6-1 　2016 博物館創齡行動工作坊邀請英國專業者分享「記憶之家」個案
右圖 6-2 　長者參與博物館舉辦的「我的人生寶盒」活動時，分享珍貴的人生故事

細節，提供失智症長者的「珍愛記憶」及「懷舊音樂」博物館參訪活動；史博館與中正區健康服務中心及戲劇專業者，提供社區失智長者及照護者「七感認知體驗」「我的人生寶盒」系列課程等（陳佳利、游貞華，2018；黃倩佩，2020；羅卓琳，2021）（圖 6-2）。

　　前述創齡方案和形式包括參觀展覽、導覽解說、動手作、工作坊等單一或混搭方式；也有博物館將志工的培訓和服務納為高齡方案之一。博物館的創齡實踐也參照國內外標竿逐步創新，如臺博館分別於 2019、2020 年與果陀劇場活化歷史團隊及新光人壽慈善基金會合作，以《發現臺灣》常設展進行包含長者的戲劇導覽培訓種籽計畫；該館也於 2020 年與臺北市聯合醫院合作，推出「失智友善博物館處方箋」，並於 2021 年出版〈博物館處方箋實務手冊〉提供實踐原則、國外案例討論以及臺博館推動經驗 [11]。又如 2020 年臺史博與成大老年學研究所、臺南新樓醫院簽訂共同推動「快樂處方箋」的合作備忘錄；成大老年學研究所所長白明奇醫師沿用社交處方箋，於 2020 年結合臺南市美術館、國立臺灣文學館（臺文館）、臺史博、奇美博物館、成大博物館，聯合發行「LiHA Pass」五館通用券 [12]。另如臺文館於 2019 年委託臺灣文學創作者協會開發「創齡資源箱」，2020 年再與《安可人生》合作結合繪畫與繪本，推廣文學走進社區，激發長者創造力（廖靜清，2020）。

若從博物館實踐創齡的過程檢視，以作者服務的史博館為例，自 2015 年起邁向博物館與創齡之路迄今，其歷程大致可有幾項歸納（辛治寧，2020）：

一、參與社群，彼此協力

史博館面對環境快速變動、社會結構改變、新的趨勢和議題等，以呼朋引伴、集結力量，予以盡速反映、即時回應。如先後以加入中華民國博物館學會友善平權委員會（2015），向先行友館請益；加入「博物館創齡行動聯盟」共學（2016）；參與辦理「2016 博物館創齡行動工作坊」等，藉社群網絡與協力起步和奠基。

二、釐清專業，夥伴共學

博物館從過往以健康長者為主要關注對象，當擴及亞健康、失智長者與照護者等高齡者，涉及長照、醫療、藝術介入或治療等多元專業。史博館從與鄰近臺北市中正區健康服務中心專業合作夥伴為起點（2016）；再以邀集友館及高齡專業照護夥伴建置「博物館創齡服務資源網」臉書社群網絡（2018），鼓勵跨域復能專業者利用博物館資源，創新長照服務博物館等，以協力合作、彼此共學強化人員專業。

三、行動實踐，累積實務

面對新的議題、領域及合作夥伴，史博館以具體行動做中學的方式，累積博物館創齡服務的實務和實踐。包括有劉婉珍教授團隊指導和協助，與中正區健康中心初次合作，邀請社區失智長者與照護者來史博館，從一次性的體驗活動，接續合作加入連結臺博館南門園區，累積實務經驗至一個階段，開始商請跨域專業師資（如戲劇工作者）配合展覽規劃五堂、七堂等系列課程，並於博物館展廳和參與者親朋好友及現場參觀民眾，分享成果、彼此交流。

實踐過程中，史博館教育人員也以行動研究法，探討博物館推動創齡的效益與可能性。如黃倩佩（2020）以「我的人生寶盒」七堂課為個案研究，結合懷舊治療的課程設計，包含專業個人、組織和機構的多方投入和參與，並藉由參與觀察紀錄表等工具，進行資料蒐集和分析。最後歸納三項發現：

博物館創齡活動有助於參與長者增進自我探索和認知能力；透過有關創齡的實踐社群，讓所有參與者創造連結、建立信任感，於過程中彼此共學；博物館成為發展跨域合作創齡服務的平台角色和功能（黃倩佩，2020：146-148）。史博館依據階段性發展的實作經驗累積和需求觀察，2020 年研製完成「創齡寶盒—家的印象」長者專屬學習資源。迄今則與專業照護者和機構以合作及協作方式，開發讓專業照護者利用博物館資源的創齡服務多元方案，並規劃辦理相關培力課程一起共學（圖 6-3）。

創齡藝術節

　　國際間自 20 世紀末開始有創齡藝術節的舉辦，或以高齡者為主要訴求的藝術節慶活動。創齡藝術節在本質上是一個節慶（festival）或特殊活動（special event）。學者定義節慶活動和特殊活動是具節日特徵、有主題或概念、可以公開和分享，並令人感到愉悅的慶祝活動（Getz, 1989）。不僅如此，節慶活動背後所彰顯的社會功能和意義，與社群認同的意識形態和世界觀緊密連結，並且不同於或超越日常生活的體驗（Falassi, 1987）。節慶活動提供一個特定的時間

和地點，讓參加的人們表達對於集體意識的承諾；人們也透過節慶活動的共同參與和共有的意義，形成彼此分享和互惠關係，從而建立信任和責任感。如 Rao（2001）歸納構成節慶活動的三項要素：社會功能、象徵意義和關係網路。藝術節（arts festival）是聚焦以藝術主題的節慶活動，一般結合多種藝術形式將其規劃於藝術節活動之中；在特定的場域舉行，可以是幾天、一個周末一個月或更長；通常會有藝術總監策劃，主導整個藝術節的主題和方向（Korza et al. 1989）。藉以達到 Korza 等人提出慶祝藝術、提供藝術家專業表現及公開討論機會、促成社區／社群自豪與團結、拓展藝術觀眾、創造經濟效益等目的。

創齡藝術節更明確地將此藝術節慶活動以高齡長者為主軸推動和鼓勵參與，期透過以藝術為名的節慶活動形式和創造力的內涵，吸引人們對創意高齡主題及議題的注意和參與，建立彼此關係和網路、凝聚認同。長者無論是參與的藝術家或民眾應該多大年紀，其實並無定論。歐美不少推動創齡的組織或機構，大多以 55 歲以上的長者為目標族群，也有以 50+ 做為訴求（如英國大城曼徹斯特 [13]）；臺灣多以 65 歲退休年限區分，但也鼓勵家庭成員或代間彼此互動，因而任何年齡層皆有參與創齡活動或藝術節的機會。重要的是理念的支持和認同，相信經由藝術的介入，讓參與長者的創造力予以啟發，並在生理、心理、社會和情感等有所獲益。茲將幾個國際較為人知的創齡藝術節略作擷要，梳理以藝術節形式推動創意高齡的特色重點。

一、 愛爾蘭貝爾丹藝術節（Bealtaine Festival）

創辦於 1995 年的貝爾丹藝術節，是愛爾蘭全國性的藝術節，期透過藝術和創意為變老而喝采，也是最早以長者為對象的藝術節慶活動。藝術節由一個名為「高齡與機會」（Age & Opportunity）的私部門主導和推動，在政府資金的支持下，於每年 5 月的藝術節推動 50 歲以上高齡者的藝術參與，包含提供弱勢高齡者藝術計畫、支持高齡藝術家、促進國際溝通與交流等；同時也與全國各地的組織串連，在社區、圖書館、文化機構等場所皆有藝術行動遍地開花；活動內容涵蓋文學、音樂、表演藝術、視覺藝術、電影及工作坊等。其影響力也促使蘇格蘭、芬蘭、北愛爾蘭、英格蘭等其他單位創立創齡藝術節。2018 年起透過研究評估參與者需求及藝術節的影響，包括參與者覺得自己更具藝術性與創造力、自信、與社區更緊密連結；並持

續優化活動內容。希望藉由貝爾丹藝術節持續促進愛爾蘭的高齡者參與社會，增進高齡者的生活品質 [14]。

二、威爾斯春天藝術節（Gwanwyn Festival）

Gwanwyn 在威爾斯語是春天的意思。受到愛爾蘭 Bealtaine 藝術節的啟發，春天藝術節（Gwanwyn Festival）始自 2007 年，每年 5 月春天舉行的創齡藝術節，由「Age Cymru」高齡威爾斯非營利組織主導，威爾斯藝術協會等政府及民間資助，活動範圍涵蓋威爾斯全境。多年來透過藝術節的推動，讓長者如同春天般獲得新生、成長和創造力。2016 年一份關於春天藝術節發展的報告指出，藝術節自開辦以來，辦理超過 3,500 個活動，逾 7 萬 5 千人參與，每年串連 75 個以上的合作夥伴。超過 9 成（96%）的參與者樂於參加更多藝術節的活動，92% 參與者表示因藝術的啟發而獲益 [15]。

威爾斯春天藝術節活動豐富多元，視覺藝術、戲劇、説故事、音樂、文學、攝影、舞蹈、電影等，統統涵蓋在內。呈現形式相當多樣，包括展覽、演出、工作坊、討論會等。最重要的是，一定要有趣。主辦單位衷心的期望是藉由各種創意的努力，讓威爾斯成為變老的好所在。

三、蘇格蘭點亮創齡藝術節（Luminate Festival Scotland）

點亮（Luminate）是蘇格蘭推動創意高齡的一個組織，受愛爾蘭貝爾丹、威爾斯春天藝術節的啟發，該組織於 2012 年與創意蘇爾蘭（Creative Scotland）、霸菱基金會及高齡蘇格蘭（Age Scotland）合作，催生遍及全蘇格蘭的點亮創意高齡藝術節（Luminate festival）。多年來，Luminate 創齡藝術節從每年 10 月舉辦，2017 年改為兩年一次於 5 月為期一個月的活動；藝術節團隊也重新將自身定位於「平台」角色，成為藝術創作者與相關機構（如養護中心）間的溝通橋樑。在為期 1 個月的藝術節之外，在下一個藝術節的期間能持續發酵及推動蘇格蘭

---

13 曼徹斯特市議會（Manchester City Council）以打造成為高齡友善城市（An age-friendly Manchester）的願景，積極推動各項高齡者服務，包括 2015 年頒布高齡者憲章（Older People's Charter）、高齡友善標章等。參閱 https://www.manchester.gov.uk/info/200091/older_people/7115/older_peoples_charter_and_challenge。

14 貝爾丹藝術節（Bealtaine Festival）官方網站：http://bealtaine.ie/。

15 參閱 https://www.ageuk.org.uk/globalassets/age-cymru/documents/gwanwyn/gwanwyn_bro_english.pdf。瀏覽日期：2021 年 5 月 1 日。

境內的創意高齡計畫（陳昱穎，2019）。藝術節的活動項目涵蓋繪畫、文學、合唱、詩詞、戲劇、舞蹈、展覽、電影、錄像、視覺等；合作場域包含博物館、圖書館、劇場、社區活動中心、教堂、長照養護中心等不同空間；參與者除了藝術家，更多的是包含健康、亞健康或失智症長輩，以及跨世代的人[16]。對 2019 年 Luminate 創齡藝術節第一手觀察的周妮萱，引述該藝術節總監 Anne Gallacher 的看法，認為藝術是一個媒介，創齡藝術節期透過不同媒介，在人們變老的過程中，能持續喚醒每個人與生俱來的創造力[17]。2020 年因新冠病毒疫情影響許多原有計畫，該組織則推出 Luminate@Home 線上活動，持續提供在家和養護中心的長者服務[18]。

四、英國倫敦南岸藝術中心創齡藝術節 （Southbank Centre: (B) old Festival Celebrating Age and Creativity）

英國倫敦的南岸藝術中心在霸菱基金會（Baring Foundation）[19]支持下，於 2018 年 5 月 14 至 20 日，以「(B) old Festival Celebrating Age and Creativity」的雙關語舉辦創齡藝術節。結合舞蹈、音樂、戲劇、視覺藝術及文學等多元藝術，並以講座、演出、工作坊、論壇等豐富活動，討論勇於變老和擁抱創意這件事。

倫敦創齡藝術節的前身可溯及 2002 年起在倫敦南岸區域的首都高齡藝術節（Capital Age Festival, CAF），其後十餘年隨組織的更迭發展持續於南岸舉辦創齡藝術節[20]。2018 年南岸藝術中心再獲霸菱基金會資助，以 (B)old Festival 之名推出全新且內容更多元豐富的節目。筆者有幸隨隊英國文化協會帶領，前往參與並親身觀察，兩位同行夥伴也在創齡研討會分享國家兩廳院及弘道老人福利基金會的臺灣創齡案例。一周期間逾百場活動在南岸藝術中心與周邊其他場域發生，舉凡年事已高但寶刀未老的藝術家（如 90 幾歲的爵士女伶與繪本作家、80 多歲詩人作家、現代李爾王、說唱表演者等）；也有素人演出者（如 Older Woman Rockers、Silver Fit 啦啦隊、現代舞等）；另外也邀請參與者、甚而路人一起的互動設計（如定時舉行團體遊戲或歡樂歌舞、模擬體驗造訪安養中心的情境劇「The Home」、一群高齡演出者的街頭行為藝術「Bed」每天不同時段和地點上演並與周遭路人彼此交流[21]。其他場域如亦位於南岸的泰德現代美術館（Tate Modern），同時期在其具獨特性的博物館學習專屬空間 Tate Exchange，與外部組織和團體合作推出相關活動[22]，充分展現高齡者即使變老仍有無比和無限的創造力。

五、芬蘭真愛藝術節（ARMAS）

芬蘭是歐洲人口老化最迅速，也是社會福利與藝術經費投注相對較高的國家。受愛爾蘭、威爾斯、蘇格蘭等地藝術節的啟發，芬蘭也有全國性的真愛藝術節（Armas）。2017 年做為歡慶芬蘭獨立建國 100 週年的活動之一，Armas 藝術節於全國推出超過 220 多場活動，包括結合披頭四音樂的啤酒品酒活動、國家畫廊高齡志工導覽、養護中心長者攝影展、熟齡合唱表演等（安可人生，2020）。Armas 藝術節猶如一個傘狀組織將芬蘭的藝術家、藝術機構和組織、長照單位及市政部門互相結合、協調行動及共用資源，以藝術為媒介，看見高齡者力量，跨越藩籬，讓長者樂於每天的日常[23]。

推動至今，2020 年因應全球新冠病毒疫情，霸菱基金會主席 David Cultler 與赫爾辛基市府合作，於 2021 年 1 月以線上方式發起國際創齡研討會，以「飛向宇宙，浩瀚無垠」（To Infinity and Beyond）為主題，持續規劃來年會議。

六、荷蘭彩色銀髮族藝術節（Gekleurd Grijs）

荷蘭文 Gekleurd Grijs 英譯為 Colored Grey，「色彩繽紛的灰」是彩色銀髮族藝術節的主要訴求，鼓勵高齡者積極參與當地的藝術與創意活動，發掘長者藝術才華的同時，協助他們以行動維持身心活躍健康。Gekleurd Grijs 藝術節由藝

16　2019 Luminate 創齡藝術節相關活動，可參閱陳昱穎，2019。閃閃發光的老後人生：蘇格蘭點亮創意高齡藝術節。國藝會線上誌。瀏覽日期：2020 年 12 月 30 日。https://mag.ncafroc.org.tw/article_detail.html?id=402888376ea2ad82016eedd2d3610006。

17　周妮萱，2019。創齡藝術節我們來了！蘇格蘭創意高齡藝術節參訪。
安可人生 https://ankemedia.com/2019/17228。瀏覽日期：2020 年 12 月 30 日。

18　蘇格蘭點亮創齡藝術節（Luminate Festival Scotland）官方網站 https://www.luminatescotland.org/。

19　該基金會是一個以促進人權與提倡包容為使命的獨立基金會，主要推動計畫包括非洲國際發展、英國社會正義以及英國藝術。2010 至 2019 年期間，該基金會將藝術計畫焦點放在高齡人口的創意活動，繼而推動和贊助許多相關計畫。基金會相關資訊可參閱官網 https://baringfoundation.org.uk/ 及 Cutler 和 Lowe（2019）合著《透過 50 大補助計畫認識霸菱基金會歷史》（A History of the Baring Foundation in 50 Grants）。

20　2012 年 CAF 獲霸菱基金會三年資助計畫，得以擴大辦理。但終因財源獲取不易，CAF 於 2017 年更名為首都高齡藝術（Capital Age Arts, CAA），並改以小規模的藝術節活動系列，於倫敦 Zone 4-6 外圍區域的長照中心舉辦。CAA 相關資訊參閱 https://www.capitalagearts.com。

21　（B）old Festival 創齡藝術節較詳盡的活動資訊參閱 https://www.dgpr.co.uk/current-projects/a-musical-love-story-with-contraceptr-2。

22　該館與推動高齡服務的組織 FLOURISHING LIVES 合作，推出 RE:GENERATION 主題系列工作坊，參閱 https://www.tate.org.uk/whats-on/tate-modern/tate-exchange/workshop/regeneration。

23　芬蘭真愛藝術節（ARMAS）官方網站：https://armasfestivaali.fi/。

術與文化基金會（Stichting Kunst & Cultuur, K&C）主導和統籌，每年 4 月於德倫特省（Drenthe）舉辦。串連當地 80 個以上組織包含劇院、博物館、樂團、養護中心、社區等，藝術節期間在城市各地以多元活動，如工作坊、博物館導覽、舞蹈及音樂課程、市集、與高齡者關注的健康和運動議題等，猶如川流不息的藝術饗宴。

2021 年 Gekleurd Grijs 藝術節推出三大活動，分別是彩色銀髮族行動月，藝術節期間德倫特各地的老年人以研討會、藝術演出和課程等，參與文化生活；主辦單位 K&C 也與藝術家合作設計飛燕，鼓勵長者與小朋友共同裝飾一隻木製燕子，以象徵希望和幸福的飛燕創造代間交流。此外，持續每年召募高齡者擔任「藝術大使」，扮演長者與藝術組織間的溝通橋樑，並在活動宣傳和執行上發揮自己的特質[24]。

七、澳洲創齡藝術節（Creative Aging Festival）

靈感同樣來自愛爾蘭、威爾斯和蘇格蘭，澳洲創齡藝術節（Creative Aging Festival）由位於新南威爾斯州（New South Wales）的「中北部海岸藝術」（Arts Mid North Coast）非營利組織主導和推動。藝術節於 2020 年邁入第四屆，活動涵蓋藝術展覽、研討會、電影放映、音樂及舞蹈表演、博物館導覽、文學欣賞活動等，除此之外還包含新科技的應用如 3D 列印、用 iPad 作畫等相關活動（安可人生 a，2020）。

「Arts Mid North Coast」組織由 13 個區域性藝術委員會所組成，範圍橫跨城市和鄉村。澳洲中北部海岸區有許多博物館和文化遺產，連帶藝術與文化活動也相當活躍。面對區域的人口高齡化程度非常顯著的事實，該組織長期致力推動地區藝術與文化發展，並專注於高齡者族群。藝術節旨在強調高齡族群在社群中扮演的重要角色，同時印證出藝術參與能讓邁入高齡的群眾更健康、更幸福。為能持續讓高齡者有接觸藝術的機會，藝術節之外，該組織也建立「創意老化指引」，串連地區藝術相關單位的資源，讓高齡者能在日常生活中擁有豐富、暢通的藝術管道[25]。

八、新加坡銀髮藝術節（Silver Arts Festival）

銀髮藝術節是新加坡國家藝術委員會（National Arts Council Singapore, NAC）於 2012 年主辦，每年 9 月以藝術節的活動形式為長者及創意老化而慶祝。同樣也以合作的模式，銀髮藝術節連結藝術家、藝術機構、社區夥伴等，期以藝術融入高

齡者的生活，學習新的技能，並展現高齡者的創造力。藝術節的活動內容從表演藝術到工作坊，其中也鼓勵高齡者分享自己的故事及想法。參加活動的對象也不限於長者，家庭觀眾的代間交流，以及與學生、上班族等不同群組的互動，也予以鼓勵。

　　新加坡國家藝術委員會為擴大藝術節的社會參與，採取公開徵選提案的競賽形式，提案內容包括社區藝術計畫、藝術節表演節目、行動藝術計畫等，透過集思廣益讓藝術節更具多元特色。銀髮藝術節也促使更多新加坡藝文相關從業者關注及投入創意高齡計畫的推動，也促成衛生與社會照護部門的合作，努力發展與高齡化相關的計畫（安可人生 b，2020）[26]。

2020 臺灣創齡藝術節（GOLD Taiwan Creative Aging Festival）

　　臺灣關於創齡議題的倡議以及博物館界的實踐行動，經近年的發展和累積，至 2020 年首次辦理臺灣創齡藝術節，筆者也參與部分規劃和執行。這個集結超過 30 個公私團體和機構的創齡活動，第一次串聯了全臺博物館的參與和連結，也開啟博物館與創齡實踐不同的活動形式。鑑於臺灣是世界上老化速度最快的國家之一，臺灣英國文化協會繼 2017 年發佈「臺灣身心障礙者與長者藝術文化參與現況研究」報告，2018 年 2 月邀請霸菱基金會執行長等人來臺，辦理臺英創齡專業交流座談會[27]；同年 5 月及次年以互訪交流計畫，安排臺灣藝文與社福機構專業者，前往英國觀摩創齡藝術節及英國推動藝術參與在高齡化社會的發展現況。有連續兩年觀摩英國創齡藝術節的經驗奠基，臺灣也在 2020 年首次舉辦創齡藝術節，從金光閃閃（Gold）發想，以「為變老而喝采 GO! OLD!」主題，期透過藝術節的形式引入臺灣創齡人才的跨域交流，鼓舞創齡相關組織持續推展創齡行動，以及啟動創齡成為超高齡社會的思維（安可人生 c，2020）。

---

24 荷蘭彩色銀髮族藝術節（Gekleurd Grijs）官方網站：https://www.kunstencultuur.nl/evenement/gekleurd-grijs。

25 澳洲新南威爾斯中北岸藝術（Arts Mid North Coast）非營利組織的創齡計畫，參閱官方網站：https://artsmidnorthcoast.com/projects/creative-ageing/。

26 新加坡銀髮藝術節（Silver Arts Festival）官方網站：https://www.nac.gov.sg/whatwedo/engagement/artsforall/silver-arts.html。

27 2018《共融藝術，創意高齡》台英交流座談會，可參閱網站：https://www.britishcouncil.org.tw/2018BaringFoundation。

2020臺灣創齡藝術節由民間單位臺灣創意高齡推動發展協會發起和主辦，邀集俺可傳媒、新活藝術、中華民國博物館學會、臺北醫學大學跨領域學院、臺北市立聯合醫院等機構和組織合辦與協辦，以協作及串聯方式，於10月及11月2個月期間連結全臺32個場域辦理創齡相關活動，包括跨域實務專業論壇、創齡行動方案市集、創齡交陪夜、工作坊等。其中由中華民國博物館學會友善平權委員會為平台，連結北中南東25個以上的博物館參與串連。包含作者在內多位博物館專業者，也在為期兩天的跨域實務專業論壇和創齡市集，分享博物館推動創齡的實踐與心得[28]（圖6-4）。

博物館於藝術節期間推出的串聯活動豐富多元，除配合特展辦理適合長者參與的創齡活動外，許多博物館也嘗試不同藝術形式或跨域連結的相關規劃。如史博館以創齡寶盒辦理聲音工作坊；臺博館辦理代間共學的戲劇導覽；國家兩廳院辦理舞蹈工作坊；北美館於所在大同區的進行在地採集及街事走讀；國立臺灣科學教育館（科教館）結合 Tinkering 常設展規劃敲敲打打工作坊。另外以推動熟齡繪本交流的後青春繪本館，分別與故宮、臺史博、史前館、臺文館臺灣文學基地、高雄市立美術館（高美館）等合作，辦理以聲音或熟齡繪本的創齡工作坊；尤其史前館更前往臺東嘉蘭村部落，與魯凱族、排灣族長者共創聲音繪本，提供部落長者一個新的體驗[29]。

臺灣首次創齡藝術節有何重要意義？博物館在這個藝術節中扮演了什麼角色？是否還有下一次創齡藝術節的期待？筆者於活動結束後，與時任臺灣創意高齡推動發展協會祕書長周妮萱一番深談，她以籌辦經驗分析創齡藝術節在臺灣的實踐，認為藝術節具有平臺的角色與功能；主辦單位扮

圖 6-4
史博館與輔大博館所合作「2020臺灣創齡藝術節：一起來辦桌」活動，失智長者與照護者從館藏圖卡連結自身記憶，並運用簡易媒材創作佳餚，邀請他人共桌

演中介者的角色，匯集與整合不同專業或領域的個人、團體和組織；對原已有心推動的博物館專業者，藉此讓機構決策者更加重視創齡的課題等。在活動辦理的機制上，她提及參照國外創齡藝術節多由第三部門組織主辦，臺灣能否如同國際的創齡藝術節每年或每兩年於固定的時間定期舉行，同時能有較為穩固性的經費資助，則仍待發展 **30**。

至於博物館在此次藝術節扮演的角色，依筆者的參與觀察有如後歸納：創齡藝術節的活動因不同類型博物館的參與更具多樣性，豐富了長者的多元體驗；位於臺灣北中南東逾 25 個博物館串聯，促使創齡藝術節在地域上得以遍及全臺，觸及更多長者及其家庭；許多活動以博物館為節點（nod）連結相關領域、甚至進行跨界合作；以及最後也是最重要的，博物館讓人信任的機構性質，安全且舒適的場域和空間，讓長者透過藝術節活動，活化創造力，自在平等地與人互動和交流。以此來看，博物館更是實踐創齡的樞紐（hub）角色。此次博物館在主辦單位的既有規劃下以串聯方式參加，日後若能提前參與規劃，應當更有計畫。創齡藝術節初次辦理的經驗也勢必可做為今後往前邁進的基礎，活動過程和成果也回應了實踐社群的特質。

代結語：博物館創齡實踐之待續

上述不同國家或地區的創齡藝術節，皆以藝術讓高齡仍具創造力而歡慶的初心。不同藝術節彼此影響和交流，也展現各自特色。如荷蘭彩色銀髮族藝術節召募高齡者當「藝術大使」；愛爾蘭貝爾丹藝術節藉由研究評估持續優化活動內容；澳洲創意高齡藝術節串連在地資源發揮影響力；新加坡銀髮藝術節透過公開徵選讓活動內容更豐富多元（安可人生 a，2020；安可人生 b，2020）。藝術節慶期間以外的常態性方案的持續推動與跨界合作，也是這些國際創齡藝術節組織的重要任務。臺灣創齡藝術節則以跨域論壇及交流會、行動方案市集、博物館串聯等，進行首次嘗試。觀察這些創齡藝術節的共通之處，包含辦理單

28　2020 臺灣創齡藝術節第一屆成果簡報可參閱 https://www.facebook.com/Taiwancreativeagingfestival。

29　博物館串聯相關活動，可參閱 2020 臺灣創齡藝術節專刊：https://issuu.com/anketw/docs/_____ok__1_。

30　筆者於 2021 年 2 月 2 日上午在國立歷史博物館徐州路辦公室，與其就 2020 臺灣創齡藝術節籌辦過程和結果，分享個人觀察和建議。

位多由非營利組織主導,政府部門支持,更重要的是多方社群夥伴的合作與協力;活動規劃主軸和對象以藝術及長者出發,但跨域連結和多元呈現是充分條件;藝術節的活動形式與內容沒有一定模式或規範,最大特色是藉由實務行動隨高齡者需求與時俱進地多方嘗試。博物館近年實踐創齡的過程亦如是,依據筆者的觀察和實務經驗可歸納幾項關鍵,包括參與社群,彼此協力;釐清專業,夥伴共學;行動實踐,累積實務等。

此與學者 Wenger(1998)提出以實踐社群(communities of practice)建構學習的概念十分契合。他認為實踐社群包含三個基本組成因素:領域(domain)、社群(community)和實務(practice)。實踐社群以社群的彼此凝聚和強調實務,包括一群人共同的投入(mutual engagement)、共有的進取心(a joint enterprise)、以及共享的能力與本領(shared repertoire)等,一起對關注的領域相互學習、達成目的(Wenger, 1998: 73; Wenger et al. 2002)。以此觀點檢視史博館的創齡實踐過程中顯現的幾項特質,諸如對特定議題(創意高齡)的關注;一群人持續的互動與合作協力(包括館員、志工、館外專業個人 / 團體 / 機構);分享共同的問題或熱情,以共學的方式獲得更深入該領域的知識和專業,進一步解決問題、達成目標等。藉由內部和外部的合作協力,從「我到我們」彼此共學的過程,十分契合(辛治寧,2020)。與臺灣其他博物館近年在創齡課題的推動上,也有所呼應。

然而以實踐社群取徑推動博物館與創齡,仍有諸多課題尚待釐清。包括如何吸納如老年學、醫學、公衛、社福等領域知識;博物館內部既有制度如何順暢推行與外部多方協力與合作的共學機制;穩定的經費支援、多元專業的人力到位等實務挑戰,皆須於實踐中再予探究。加上外部環境迅速變動,尤其這兩年新冠肺炎(COVID-19)疫情的衝擊與影響之下,如何透過館內到館外、結合線上與實體等創意,有計畫地持續進行創齡服務,將成為考驗博物館韌性和創意的新挑戰。如英國 Cornwall 區域內博物館和美術館攜手食物銀行,提供創意藝術箱到弱勢家庭、機構年長者及受疫情影響者的家中,協助在地居民度過艱難時刻 [31]。

---

31 原文出自 Cornwall Museums Partnership,參閱 https://www.cornwallmuseumspartnership.org.uk/museums-at-home-supporting-foodbanks-and-families-with-activity-packs-in-2020/;公益翻譯「七分熟──創齡放送局」。

　　霸菱基金會總監 David Cutler（2019）於《環遊世界八十大創意高齡計畫》報告中，引述聯合國 2017 年全球高齡化的現象調查：至 2030 年，全球老年人口的數量會超越未滿 10 歲孩童的人數；到 2050 年，年過 60 歲的人口數預計會翻倍，成長到 21 億人。並於結論中提出，未來會是一個更老、更有創意的世界。劉婉珍（2017）指出人們對於老年的意象、圖像和想像是自我認同和社會認同交互作用的產物。面對變老這件事，除了服老，更要有意而為。在以創意老化啟動和擾動臺灣博物館的創齡行動，其引用 Cohen（2001）從臨床研究得到的啟發 C=me^2（Creativity 創造力 ＝ mass of knowledge 知識總體 ✕ experience 經驗的平方），長者隨年齡增長所累積的各類知識與生命經驗交疊，而延展創意。她進一步將 m 引申為具有獨特性和催化力的博物館（museum），讓長者於其中因自我的生命經驗獲得超越的能量，發展有未來性的創意生活（劉婉珍，2017：25）。身處和面對超高齡社會，如何讓包含健康、亞健康、失智長者等高齡者在博物館不僅平等相待，並有能動性地在博物館因身心療癒而閃閃發光、感覺幸福，是博物館與創齡實踐社群夥伴持續共同努力的目標。

參考文獻

中央社，2020。臺灣創齡藝術節——為年長者串聯社會美學資源。
https://www.cna.com.tw/news/acul/202009240125.aspx。瀏覽日期：2020 年 12 月 30 日。

安可人生 a，2020。全球瘋創意高齡藝術節 讓長者大家藝起來！（上）。
https://ankemedia.com/2020/23770。瀏覽日期：2020 年 12 月 30 日。

安可人生 b，2020。全球瘋創意高齡藝術節 讓長者大家藝起來！（下）。
https://ankemedia.com/2020/23781。瀏覽日期：2020 年 12 月 30 日。

安可人生 c，2020。臺灣迎來首屆創齡藝術節「2020 臺灣創齡藝術節」宣布起跑！
https://ankemedia.com/2020/24891。瀏覽日期：2020 年 12 月 30 日。

李世代，2010。活耀老化的理念與本質，社區發展季刊，132：59-72。

辛治寧，2020。文化平權之路的協力與共學：實踐社群觀點，博物館簡訊，94：2-7。

邱天助，2011。老年學導論。臺北市：巨流出版社。

周妮萱，2019。創齡藝術節我們來了！蘇格蘭創意高齡藝術節參訪。安可人生。
https://ankemedia.com/2019/17228。瀏覽日期：2020 年 12 月 30 日。

陳佳利、游貞華，2018。回憶的香氣與旋律－新北市十三行博物館失智症教育活動之行動研究，博物館學季刊，32（2）：79-101。

陳佳利，2017a。在過去的時光中相遇——利物浦博物館高齡教育活動之研究，博物館學季刊，31（1）：5-25。

陳佳利，2017b。高齡社會下的博物館：創意、需求與科技互動，博物館與文化，14：1-3。

陳昱穎，2019。閃閃發光的老後人生：蘇格蘭點亮創意高齡藝術節。國藝會線上誌。
https://mag.ncafroc.org.tw/article_detail.html?id=402888376ea2ad82016eedd2d3610006。
瀏覽日期：2020 年 12 月 30 日。

陳麗光、鄭鈺靜、周昀臻、林沛瑾、陳麗幸、陳泇軒，2011。成功老化的多元樣貌，臺灣老年
學論壇，9：1-12。

陸洛、高旭繁，2017。正向老化之概念內涵及預測因子：一項對臺灣高齡者的縱貫研究，醫務
管理期刊，17（4）：267-288。

黃倩佩，2020。國立歷史博物館「我的人生寶盒」創齡活動個案研究：實踐社群觀點的共學經
驗。陳佳利主編，第一屆全人文化近用與社會共融國際研討會論文集，頁：126-150。

劉婉珍，2015。博物館對於創意老化的覺知與行動，博物館簡訊，73：26-29。

劉婉珍，2017。創意認同：博物館在高齡社會中發揮潛能的實踐基礎，博物館與文化，14：5-42。

趙廷鶴、辛治寧，2017。博物館高齡觀眾的經驗與需求初探，博物館與文化，14：31-59。

謝文馨，2018。「參觀博物館」可望成為英國醫師處方箋。中華民國博物館學會新訊。
https://www.cam.org.tw/notice20181122/。瀏覽日期：2021 年 1 月 20 日。

羅卓琳，2021。高齡者參與博物館創意老化教育活動之轉化學習經驗研究，輔仁大學博物館學
研究所碩士論文。

廖靜清，2020。國立臺灣文學館開發「創齡資源箱」走進社區，激發長者創造力。
https://ankemedia.com/2020/23507。瀏覽日期：2020 年 12 月 31 日。

Cutler, D. & Lowe, H., 2019. A History of the Baring Foundation in 50 Grants. London: Baring Foundation. https://
cdn.baringfoundation.org.uk/wp-content/uploads/A-history-of-the-Baring-Foundation-in-50-grants-1.pdf.

Cohen, G. D., 2001. The Creative Age: Awakening Human Potential in the Second Half of Life. New York: Harper
& Collins.

Cohen, G. D., 2005. The Mature Mind: The Positive Power of the Aging Brain. New York: Basic Book.

Cohen, G. D., 2006. Research on creativity and aging: The positive impact of the arts on Health and illness.
Generations, 30（1）: 7-15.

Falassi, A., 1987. Festival: Definition and morphology. Time out of Time: Essays on the Festival, 1-10.

Getz, D., 1989. Special events: defining the product. Tourism Management, 10（2）: 135- 137.

Klimczuk, A., 2016. Creative Aging: Drawing on the Arts to Enhance Healthy Aging. In: N.A. Pachana （Ed.），
Encyclopedia of Geropsychology, pp. 608-612. Springer Singapore.

Korza, P., Magie, D., Bacon, B. & Fiscella, J., 1989. The Arts Festival Work Kit. Amherst, MA : Arts Extension Service,
Division of Continuing Education, University of Massachusetts.

Rao, V., 2001. Celebrations as social investments: Festival expenditures, unit price variation and social status in
rural India. The Journal of Development Studies, 38（1）,71–97.

Todd, C., Camica, P. M., Lockyer, B., Thomson, L. J. M., Chatterjee, H.J., 2017. Museum-based programs for socially
isolated older adults: Understanding what works. Health & Place, 48:47-55.

Wenger, E., 1998. Communities of Practice: Learning, Meaning, and Identity. Cambridge University Press.

Wenger, E., McDermott, R., & Snyder, W., 2002. Cultivating Communities of Practice: a Guide to Managing
Knowledge. Harvard Business School Press.

World Health Organization, 2002. Active Ageing: A Policy Framework.
http://www.who.int/ageing/publications/active_ageing/en/. Retrieved March 15, 2021.

國立臺灣歷史博物館友善平權實踐
羅欣怡

博物館為何需要友善平權

我們在博物館工作，常期許博物館是「大家的博物館」（Museum for Everyone），但其實大眾親近博物館存在著許多有形與無形的門檻。博物館，作為一個社會教育機構，不僅擔負終身學習的功能，同時也具有社會關懷與實踐的任務。聯合國 2006 年通過「身心障礙者權利公約」（The Convention on the Rights of Person with Disabilities, 簡稱 CRPD），該條文中重申人類所有成員固有的尊嚴與價值，平等與不可剝奪的權利，必須保障身心障礙者不受歧視地享有與其他人一樣的權利。身為博物館工作者，我們該如何回應 CRPD，博物館不是口頭與形式上對大眾開放，而是要實質上做到資訊能被所有人理解與無礙地使用，而非針對特定社經、教育、族群、身心條件等有限制性的對象進行溝通（羅欣怡，2016）。

國立臺灣歷史博物館（簡稱臺史博）開館後發現館內有許多特殊需求的夥伴們造訪，但是博物館似乎沒有預備好相對應的服務與軟硬體設備。雖然館內的軟硬體設備都符合法令規定，但僅能服務一般民眾而已，我們慣於從博物館自身能提供的服務視角出發，忘了從大眾多元的需求角度來檢視他們對博物館的期望。Stephen Weil 曾說，博物館的「觀眾典範」顯然需要改變，從「博物館對大眾的期望」轉變成「社會大眾對博物館的期望」，他認為這個轉換將是當前博物館革命的核心（張譽騰譯，2015）。

時任臺史博館長呂理政坦言，面對來館的各類訪客，必須思考如何成為社會各族群、各階層需要的博物館？如何服務身心障礙社群訪客？如何協助困於旅程或經濟負擔無法來館的偏鄉弱勢社群？總言之，博物館應該構想全面性友善服務計畫並付諸具體作為，達成大家的博物館之理想，這就是臺史博開館後，我們面臨「學做友善平權的博物館」的新課題（呂理政，2015）。

啟動－臺史博友善平權計畫

臺史博 2011 年開館後意識這個重要課題，2012 年開始逐年辦理文化平權人才培訓工作坊與論壇，2013 年結合民間社會資源啟動友善平權標竿計畫──「圓夢計畫」，正式啟動友善平權相關政策、專案計畫、夥伴團體之建立與推展等，初衷無它，僅僅希望能讓每位到館民眾都擁有同等的權利去選擇他所能接收的方式，無礙地去理解博物館，彰顯與體現 CRPD 的基本價值與人權願景。2012 到 2013 年是臺史博友善平權工作重要的啟動年，重要工作概述如下：

一、現況盤點、課題釐清

第一步是發現與確認臺史博的問題，全面檢討博物館軟硬體環境是否為友善的，包括博物館 20 公頃基地內所有建物與室內外硬體的無障礙設施，展示與教育推廣溝通媒介與展場設施的友善性等等。一一盤點及釐清需要改善的課題，有些可立即改善就先做，其他則納入工作計畫中依優先順序逐步執行。

二、專業啟蒙、策略擬定

友善平權專業在國外已行之多年，但在當時對臺灣而言，仍是一個新興的博物館課題，因此相關專業知能的啟蒙與強化是首要之務。臺史博與國立臺南藝術大學（簡稱南藝大）文博學院劉婉珍教授開始逐年合作辦理各式工作坊與研討會，包括：2012 年「文化平權：與博物館零距離專業成長工作坊」，邀請博物館學者、社福團體工作者以及博物館教育人員分享實務經驗，並透過工作坊形式來觀摩與實作。2012 至 2013 年對第一線服務人員及志工開設「手語研習班」，邀請手語老師到館教學。2013 年 5 月舉辦「博物館教育人員藝術知能體驗營」，邀請「藝術統合教育研究會」人員擔任講師，透過身體律動、自由創作等活動方式，讓博物館教育人員有新的體驗與感知。2013 年 10 月與南藝大合作舉辦「博物館零界限：博物館特殊需求觀眾教育專題研討會暨工作坊」，會中邀請美國 MOMA、日本國立博物館之博物館教育與觀眾服務專家，與臺灣博物館教育工作者一起研討博物館如何轉化為以社會服務為核心的場域，共同發展博物館高齡觀眾、特殊群體物件學習等多元平權專案。透過這些專業強化的研討與分享，臺

史博更清楚理解博物館的社會影響力與願景使命，並據此研擬博物館友善平權策略，決定透過平權「政策」、「團隊」與「標竿計畫」來全面展開。

三、政策頒布、團隊籌組

2013 年夏天臺史博同仁建議，為整合及貫徹友善平權計畫，應成立專責委員會並制定政策，同年 8 月呂理政館長宣誓臺史博三大核心價值：「誕生知識、快樂學習、友善平權」，並宣布成立「友善平權委員會」，由館長召集，負責彙整草擬「友善平權政策」（附件 1），同時指定博物館秘書莊佩樺為「友善平權工作小組」召集人，立即成立工作小組，召集各組室檢討執行中的相關計畫，彙整為 2014 友善平權年度計畫。友善平權政策包含四大部分，包含：臺史博願景與使命、友善平權委員－組成及任務、基本理念－友善使用與社會平權、行動方針－具體作為和目標（呂理政，2015）。「政策」與「團隊」是互相效力的好搭檔，臺史博平權政策中即宣示，友善平權的工作團隊層級是全館性，且由館長統軍，透過政策籌組工作團隊，委員會由館內各級主管組成，負責擬定政策及督導審查相關計畫，工作小組則由各組室指派一名以上專責館員組成。

四、公私合作、標竿啟動

2012 年末獲白鷺鷥文教基金會陳郁秀董事長支持發起「國立臺灣歷史博物館圓夢計畫」，這是臺史博推動友善平權的標竿計畫，陳董事長號召民間各界人士贊助物力與經費，以挹注身心障礙與偏鄉弱勢群體參訪費用，此計畫於 2013 年 5 月正式啟動。發起人陳董事長與贊助者當時投入的初衷乃是——「希望每一個孩子一生至少有一次機會，能到臺史博看看臺灣這塊土地的故事」（羅欣怡，2015）。

繁衍──臺史博友善平權計畫

接續 2012 年「文化平權：與博物館零距離專業成長工作坊」、2013 年「博物館零界限：博物館特殊需求觀眾教育專題研討會暨工作坊」，2015 年臺史博持續與南藝大劉婉珍教授合作，導入跨域合作夥伴召開「博物館友善平權跨域論壇」，邀集中華民國博物館學會友善平權委員會、中華民國身心障礙聯盟、智障者家長總會、聲暉聯合會、伊甸社會福利基金會、陽光社會福利基金會、

脊髓損傷社會福利基金會、臺灣障礙者權益促進會等單位一起合協辦，跨域分享文化、教育、衛福、社會公益等專業團體之平權理念與實務經驗。這個論壇的意義在於，一是「跨域交流」，讓社福團體與博物館跨域團隊相互認識交流，並進而建構夥伴關係。二是「跨域理解」，結合社福團體（使用者）與博物館界（供給者），設法讓博物館員從「使用者」的角度換位去理解，而非單純只從「供給者」的視角出發，期能拉高與拉寬博物館平權工作者的視野與思考層次，透過跨障別與跨館舍的多元案例分享，讓雙方的溝通頻率更趨為一致，也讓博物館發展的平權工作更符合社福團體夥伴的真正需要。

一、圓夢計畫－社會資源導入

圓夢計畫做為臺史博友善平權的標竿啟動計畫，同時也是繁衍平權大業的重要基石所在，希望博物館結合各界社會資源，讓公私部門相互合作，擴大平權計畫的社會效益與跨域合作夥伴範疇。臺史博圓夢計畫之目標有二：

（一）成為一個實現社會平權價值的平臺，與社會各界一起營造友善平權的學習環境，提供特殊需求社群參與文化活動的機會。

（二）成為一個實現多元文化價值的博物館，除了讓圓夢對象認識臺灣歷史，更藉由博物館內部人員、使用者與圓夢對象的多向互動，提升彼此對臺灣社會更真實、更全貌的認識（羅欣怡編輯，2015）。

臺史博圓夢計畫工作主要包含克服經濟障礙與學習障礙兩方面：

（一）協助克服經濟障礙

　　1. 提供門票及導覽器材免費使用

　　2. 引注社會贊助參觀旅費及教材費

　　3. 與合作單位共構學習遊程

（二）協助克服學習障礙

　　1. 為特殊需求群體規劃特殊學習資源及活動

2013 年臺史博啟動「圓夢計畫」後，每年透過計畫資源，廣邀全臺各

地偏鄉弱勢與身心障礙團體到館參訪，由館方提供專業接待與相對應的學習計畫，2013 年贊助了 3,408 位，2014 年贊助了 8,024 位，從全臺各地到臺史博參訪。這個由民間發起的圓夢計畫，贊助者挹注人力、物力、經費等各項資源，臺史博也同步挹注更多的專業館員、教育推廣與軟硬體等資源共同投入。整體而言，透過圓夢計畫，博物館更多元地導入社會資源，廣邀更多的弱勢與多元障別群體夥伴，讓博物館發揮更大的社會價值，也讓博物館工作者從實務中獲得更多的理論操練與使用者回饋。依據臺史博官網所述，圓夢計畫的對象包含以下三大類：

（一）教育部所認定之偏遠地區（含特偏）小學及教育優先區小學之弱勢學童，其對象包括原住民、清寒子女、外籍配偶子女及失親、單親、隔代教養等家庭子女；離島或偏遠交通不便之學校。

（二）博物館潛在觀眾及非觀眾，含孩童、青少年、偏鄉社群、特殊境遇家庭、社會福利團體關懷對象、新住民與身心障礙者等群體。

（三）參與之學童以未曾參加本活動者為優先，以提升資源分配最佳化。

臺史博、圓夢對象、企業與個人、偏鄉與特殊學校、社福團體、政府部門等，都是圓夢計畫的重要參與者，透過博物館、圓夢對象與社會資源三方的協力，才得以架構起完整的支持網絡（圖 7-1）。

圖 7-1
臺史博圓夢計畫網絡圖（資料來源：國立臺灣歷史博物館圓夢計畫 2013 年活動回顧，p.17）

二、單一組室拓展至全館跨組室合作模式

要啟動圓夢計畫，除了政策之外，也需要團隊的支應，臺史博在前期盤點現況、釐清問題、強化專業、頒布政策與籌組團隊後，深刻意識到博物館平權工作的成敗關鍵有二，一是首長的高度重視，二是必須建構在全館各處室通力合作的工作架構下，才得以成事（羅欣怡，2015）。若僅僅依靠單一組室的力量，無法撼動現況，支撐全館友善平權藍圖的全面實踐。因此，臺史博以館長的高度，凝聚全館同仁的共識與真心投入，並將平權工作具體落入各處室的年度預

算與計畫中，透過友善平權委員會與工作小組的分層機制，讓平權工作真正落實在博物館決策層與執行層，行政室、研究組、典藏組、展示組與公共服務組等，全數都成為平權工作的一份子。

2014 年夏天臺史博召開「多元障別諮詢會議」，邀請視障、聽障、肢障、學習障礙、心智障礙等多元障別代表，實地到館諮詢、參觀測試，並給予館方各項軟硬體回饋建議。會後，所有回饋意見，快速分類至各組室分頭主政，透過全館友善平權工作小組與委員會等機制進行追蹤管考。同年冬天，臺史博再度向多元障別代表的夥伴們報告夏天各項回饋建議的改善概況，包括已立即改善完成的、改善進行中的以及評估後仍空礙難行的課題處理概況等，與會者都相當訝異博物館如此用心在看待他們的建議，甚至還會主動回報，顯示博物館對於平權工作的重視與誠意，能在短時間內，全面啟動各項軟體與硬體的改善優化工程與計畫實屬不易。

三、單一館舍到成立跨館聯盟「中華民國博物館學會友善平權委員會」

如果友善平權是共通的社會價值，就必須聯合國內各博物館，擴張博物館社會影響力，共同投入友善平權工作。單一館舍的力量的影響層面畢竟有限，2015 年初中華民國博物館學會張譽騰理事長與呂理政館長共同發起，在學會設置「友善平權委員會」（呂理政，2015），並由呂館長擔任第一屆的主任委員，邀集國內博物館學相關學者與跨館博物館工作者加入[1]，有學術專業、博物館經營管理、教育推廣等不同背景的夥伴共同組成，一起交流與分享友善平權專業知能與實務操作，正式開啟臺灣博物館界對於友善平權與社會影響力等議題之重視與實踐。

友善平權委員會各成員所屬博物館分頭投入平權專案，不僅僅是臺史博，包括國立臺灣美術館、國立歷史博物館、國立臺灣博物館、國立臺灣文學館、國立故宮博物院、國立臺灣史前文化博物館、新北市立鶯歌陶瓷博物館、新北市立十三行博物館、高雄市立美術館等公私立博物館均紛紛投入視障、聽障、心智障礙、肢障、高齡、新住民等博物館多元平權專案，

1　友善平權委員會第一屆成員：主任委員——呂理政、副主任委員——劉婉珍、王長華、執行秘書——羅欣怡、委員——賴瑛瑛、陳佳利、張淵舜、吳麗娟、游貞華等。

2015 起各館百花齊放，相互學習與觀摩，加上文化部政策上的大力推動支持，博物館文化平權瞬間成為顯學與各館努力的方向。臺史博文化平權專案計畫中，分別針對視障、高齡與心智障礙等特殊需求朋友發展合適的博物館服務專案，在文化部文化平權政策中，臺史博成為專責以心智障礙為規劃主題的博物館。以下將概述各專案內容，並以心智障礙專案為主詳述如下。

（一）臺史博視障計畫

2014 年臺史博向中華民國口述影像發展協會趙又慈老師諮詢請益，並與中華民國無障礙科技發展協會合作發展「口述影像導覽」內容，將展場中看得到的視覺資訊，以合適的詞語與方式說給視障者聽，並同步發展展場及園區平面觸圖。為更正確認識視障者的需求，臺史博也向大學特殊教育學系、視障者生活重建中心、盲人福利協進會等單位拜訪請益，以期發展符合視障朋友需求的軟硬體服務。博物館設置常設展 7 處觸摸區，提供文物複製品與點字解說牌，並在官網放上點字內容連結供下載，並提供大字簡介與擴視鏡借用等服務。

（二）臺史博樂齡計畫

臺史博具高度懷舊性的展覽內容，特別能觸發長者的共鳴，並連結過去的生活記憶。自 2014 年起，臺史博參考國內外博物館案例，與南藝大劉婉珍教授及失智症相關團體合作規劃「樂齡專案」，邀請失智症及其照顧者一同走入博物館，透過互動式的定點導覽與開放性的引導討論，常能讓長者產生愉悅的博物館經驗（羅欣怡編輯，2016）。為了更正確地理解長者的需求，臺史博同仁拜訪相關樂齡機構與社福團體，期待提供更符合樂齡長者需求的服務內容。2014 策劃「寶島臺灣 歷史巡禮」導覽活動，與成大醫院失智症中心及臺南市失智症協會等合作，安排博物館研究組同仁擔任定點導覽互動的講者，用深入淺出的方式與長者互動，例如在廟埕前、在懷舊課桌椅佈滿的教室場景裡等，許多長者甚至失智症者，都在觸及生命經驗的場景裡，開始侃侃而談，彷彿變身為王牌導覽員，也讓同行的三代家人驚豔。

（三）臺史博心智障礙——易讀計畫

為了協助心智障礙夥伴來訪，2015 年臺史博也與一些專業團隊合作開發設計心智障礙者學習專案，規劃特殊學習資源及活動，博物館邀請了智總團隊擔任諮詢合作夥伴，林惠芳秘書長帶領智青團隊與博物館溝通，以真實了解智青

等使用者實際的需求與曾遇到的困難，從博物館簡介內容、溝通語言、版面設計、友善閱讀、導覽內容、行前影片等等，都仔細進行討論與來回溝通。臺史博的鄰居臺南啟智學校老師群也是一大功臣，將特教專業導入博物館學習專案，提供許多實務上能讓心智障礙學生理解博物館的建議，將平日實際教學的經驗融入博物館導覽與學習情境內，讓博物館人員更能掌握到傳遞訊息的可行模式，進而據以策劃心智障礙者的體驗專案。臺史博在心智障礙專案中，最關鍵的發展在於，智總團隊建議臺史博規劃「易讀專案」（Easy to Read）。

聯合國 CRPD 第 2 條中提到各項資訊要用淺白的語言；第九條提及要提供易讀易懂的標誌與說明；第 21 條則強調要供予公眾之資訊須以適於不同身心障礙類別之無障礙形式與技術，及時提供給身心障礙者；第 30 條則指出身心障礙者享有以無障礙格式提供之文化素材，享有無障礙格式提供之電影節目、影片、戲劇及其他文化活動，享有無障礙進入文化表演或文化服務場所，例如劇院、博物館、電影院、圖書館、旅遊等服務場所之權利。這種適合心智障礙者無障礙格式的文化素材的追求，就是易讀運動。博物館若要實踐社會平權、文化公民權及文化近用等理念，易讀運動就是一個具體的無障礙行動方案。

何謂「易讀」，其推動的核心精神乃在於：「每一個人」「都有權利」「用自己可以理解的方式」「得到所需要的資訊」，「每一個人」「都可以用清楚」「容易理解的方式」「寫下自己想說給別人聽的訊息」。簡言之，易讀運動的落實是希望能使用簡單的文字或圖片，讓訊息更容易被理解，也希望每一個活動與場域，都應該準備一些適當且易讀易懂的資訊，協助有閱讀理解困難的朋友們能有參與及表達的機會。這類易讀資訊不僅僅適用於心智障礙者，對於閱讀有困難者、非母語者、高齡者或是其他障礙者，都能有所助益（羅欣怡，2016）。

臺史博在發展心智障礙專案時，分成三大階段依序進行，分別是：

1. 夥伴團體建構階段：與心智障礙相關專業團體、使用者團體、研究人員、教育人員等建構合作的夥伴關係。並可透過諮詢會議與演講分享等方式，強化博物館此專案相關人員之心智障礙專業知能。

2. 專案研發建置階段：與此專案夥伴團體分工分期研發建置易讀專案具體項目與內容。

3. 專案測試回饋階段：廣邀特
   教資源學校、心智障礙相關
   社福團體進行易讀導覽與手
   冊測試回饋，包含參與者口
   訪、導覽員回饋與易讀導覽
   側記等方式。

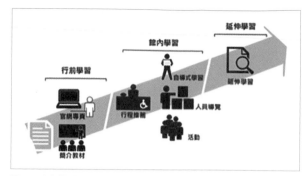

臺史博易讀運動發展在學習
內容部分，分為三階段（圖 7-2），
包括前端的行前學習、中段的館

圖 7-2　臺史博心智障礙計畫三階段（圖片來源：臺史博圓夢計畫 2014-2015 活動回顧，p.42）

內學習到最後的延伸學習。行前是指到博物館參觀之前，由社工或老師協助，
透過易讀手冊、行前影片與官網無障礙資訊等，讓心智障礙朋友先對博物館有
基礎的瞭解與熟悉，這樣將會提高他們進入博物館後的適應性與融入性，尤其
是針對自閉症等觀眾，會降低他們對陌生環境的恐懼、不安與躁動。館內學習
則是包含人員易讀導覽與教育活動之規劃與實施，最後則是透過延伸學習，加
強心智障礙者之學習成效與能力。

原本臺史博是以插圖繪製為基礎的單張摺頁，經與智青代表討論諮詢，發
現單一版面資訊爆量、用字遣詞過於深奧艱澀、不夠白話、單一版面重點過多、
示意圖片過少、不同主題區塊之色彩等識別性過低等等。易讀第一版設計以不
同色塊區別各單元主題、強化圖文相互對照性、簡化內容等，再次與智總及智
青代表討論後，發現缺乏實景照片、文字訊息仍過多、用字遣詞仍偏艱澀、單
一畫面圖文焦點過多等。最後決議將各單元主題以分頁呈現、一頁一重點、篩
選及簡化各單元焦點、改寫文字內容、重繪焦點場景與文物、增加實景照片輔
助等，重新發展易讀探索指南，指南完成後，進行易讀導覽的培訓與上線工作，
並以此版本做為測試的藍本，進行眾多心智障礙團體與特殊學校的試用與施測
工作。南智教師群則針對博物館行前影片之內容構思與規劃工作，提出特教專
業的建議，包括影片內容的組成、訊息出現的優先順序、心智障礙學生的需求
等，並據此發展博物館行前影片，完備行前學習與館內學習等素材資源。

臺史博易讀版探索指南材料建置完成後，即著手安排全國各心智障礙團體
到館進行專案活動與試驗施測，包括主動邀請者與自行預約者，主動邀請者如
智總協助邀請的智青、南智及大臺南地區國中特教班等特教學校師生、日照中
心、啟能中心等，自行預約者則是來自全國各地的心智障礙與自閉症基金會、

協會等社福團體，同步也針對偏鄉學童與親子團體等其他觀眾進行測試。自 2016 年 3 月至 12 月止，測試 27 個團體，計 1,175 人次參加臺史博易讀導覽活動，包含可以自行理解、溝通與表達的輕度心智障礙者、智青，需要透過社工與特教老師作為中介的中度心智障礙者，以及協同之社工、特教老師等。

根據易讀手冊與易讀導覽搭配之測試，有以下幾點觀察：

1. 中重度智能障礙者多伴隨著多重障礙，在導覽的過程當中，他們較難進行手冊的翻頁與使用，因而手冊更需要有陪伴者的協助才能有效使用。

2. 在陪伴者方面，陪伴者與智青兩兩一組，彼此關係佳，陪伴者也會主動翻閱對照手冊，手冊對陪伴者也有一定程度的幫助和成效，尤其中重度障礙者參與易讀導覽時，則手冊對象以輔導員社工為主。

3. 經過專業訓練的陪伴者在協助使用上，可以達到事半功倍的效果，社工等陪伴者對智青行為具有約束力與影響力，陪伴者對展品的好奇度會影響障礙者隨隊的狀態。但如果在人力較不充足的情況下或是由非專業人士陪伴，進行易讀手冊的使用和導覽的過程當中將會產生困難。

4. 易讀手冊除適用於輕度智能障礙者與學校資源班教師教學使用，對於一般觀眾也有加深印象的效果，尤其是在親子共學方面，透過易讀導覽的精選解說點與圖像式引導搭配現場實景，使參與者更能夠加深在臺史博館內的學習效果。

5. 適合母語非中文的外籍人士，尤其是外籍勞工或新移民，因為中文能力較為不足，所以在解說上有圖像搭配與語速放慢，使得他們也成為易讀手冊的適用對象。

6. 智青的抽象理解概念與空間辨識能力不足，宜多使用圖片記憶，增加理解能力，並盡量在圖的旁邊就需要附上簡易的說明文字，但中重度智能障礙者無法聯結插圖和實景。

7. 每頁的字體變化上不要超過兩種，字型種類太多會模糊焦點。手冊當中的圖案標示要簡要，同樣的符號只能代表一種意義，以利判讀。

8. 所提供的刺激不能過於繁雜，宜簡單清楚的指令，並將容易引起分心的無關刺激物移開，設法引導專注在眼前場景。可針對注意力不易集中者設定目標，給予目標達成之獎勵與讚美。

綜整測試回饋意見後，在易讀專案針對使用對象、手冊版面、手冊內容、理解內容等課題，歸納建議如下：

1. 易讀專案「使用對象」部分，透過精選解說點與圖像式引導手冊，搭配現場實景精選點易讀導覽活動，對於輕度心智障礙者與特教學校資源班教學而言相當適用，甚至對於一般觀眾、家庭觀眾以及高齡者都有參與導覽動機提升、展覽內容印象加深與親子共學的效益，但仍然難以適用於中度或重度心智障礙者。

2. 在「手冊版面」部分，使用者對於部分頁面顏色辨識度、背景與文字反差度、字體大小、頁碼呈現、字體變化、符碼意義等版面編排與呈現部分，提出許多使用回饋意見。

3. 在「手冊內容」部分，部分用字遣詞仍過於艱澀、關鍵內容圖像示意方式、繪圖與實景照片使用比例、圖片解說方式、與現今生活相互連結性、理解模式、空間俯瞰圖辨識等意見。

4. 在「導覽內容」部分，導覽速度、用語、現場與手冊圖文呼應、與現行生活相互連結呼應、避免用兒童導覽口吻、重複歸納提點、鼓勵參與互動、陪伴者偕同輔助説明等意見。

另外針對可以自行理解與溝通的智青代表們，調查易讀活動「滿意度」部分，在很滿意到非常滿意（8-10 分）區間，「無障礙硬體設施」達 90% 滿意度；「易讀手冊」（圖 7-3）達 88% 滿意度；「易讀導覽互動」達 96% 滿意度；「整體易讀導覽」滿意度為 82%。2017 年將針對上述回饋意見與觀察結果，進行易讀導覽與手冊內容的修訂與調整，以期更貼近目標使用者的實際所需。

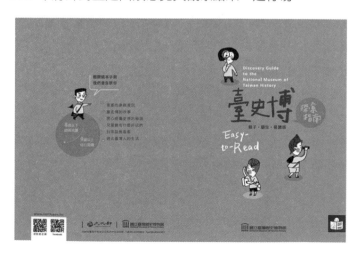

圖 7-3　臺史博探索指南易讀版封面

整體而言，博物館在開發易讀手冊等專案時，有幾點建議供參：

1. 在開發之初，建議先籌組夥伴團體，包括易讀手冊專業研發製作團隊、心智障礙使用者團體、特教教師、博物館研究人員與教育人員等，在研發過程中可以來回諮詢與回饋各項意見。

2. 輕度心智障礙的青年（智青）因具有基本的溝通能力，是研發期間重要的諮詢與回饋對象。

3. 博物館內容專業的研究人員與教育人員需共同參與，才能確保內容面的正確性，同時也能兼顧教育活動的初衷與實踐的適切性。

4. 初版易讀手冊產出後，需進行易讀導覽的培訓工作，包括內容面與心智障礙團體的接待面等專業。完成後，可以安排相關多元心智團體進行測試，包括心智障礙協會、特教學校等等，進行第一階段的整體回饋與修正意見匯集。

5. 綜整第一階段的測試回饋意見後，再進行易讀手冊的相關修訂工作，並賡續付梓出版，成為博物館的常態教育資源。

6. 易讀手冊並非一般博物館導覽手冊的幼兒版，而是另一種與心智障礙者溝通的專業版，因此建議尋找相關專業的研發團隊來合作，最終的成果才得以讓心智團體真正受用。

除易讀手冊之研發工作外，自 2014 年起，臺史博安排各項特殊群體之藝文展演，包含「星兒的博物館－臺史博線畫創作展」、「星兒相見歡」、「永福星星幫樂舞表演」、「一首搖滾上月球紀錄片分享會」、「佑明國樂團音樂會」等，讓特殊群體夥伴也能有一個自由分享與展演的機會及場域。

展望─邁向社會平權的博物館

在臺史博執行友善平權計畫，最終察覺友善平權並非只是指涉那些對於多元障別提供的特定軟硬體設備與服務，而是對於所有博物館工作一種全面檢視的「思維模式」，無論身處哪個部門，在執行業務範疇內的各項計畫時，都應先思考，是否符合友善平權的精神，如何能多想一點、多做一點，讓工作產出更為友善，讓更多人能平等地分享與體驗到，這才是博

物館友善平權的最終意義。博物館友善平權是一條漫長的路，如同 Stephen Weil 所言（張譽騰譯，2015），雖然單獨一座博物館無法像槓桿一樣，撐起整個世界，也無法單獨承擔促進社會變遷的責任，但是當越來越多博物館加入行列之後，博物館在友善平權領域也能成為具有社會影響力的機構。

博物館平權工作，其實並不是一種終點，只是一個博物館人權運動的起點。如同 Richard Sandell（2012）所言，在當代人權思潮趨勢下，博物館不只是單單反映或加強人權共識，而應是更積極尋求並建構政治與社會大眾對更為進步人權價值的支持。雖然上述工作充滿極大的挑戰，但透過不斷的嘗試，重新定義關於社會正義與平權等概念，這就是博物館從事人權工作所擁有的最大影響力（陳佳利等譯，2014）。博物館從第一代的小眾文化機構，到第二代的大眾文化機構，到第三代的全民文化機構，博物館的視野與關懷，從獨尊「物」轉變到兼顧「人」，從單一的人擴大到多元需求的人們，包含弱勢、身心障礙者等。讓博物館並非只是為國家及文物而存在，而是為民眾存在，為社會存在，實踐社會平權與無障礙博物館的理想與願景。如前所述，博物館做為一個社會教育機構，不僅擔負終身教育的使命，同時也應具有社會關懷與實踐的功能。博物館等文化機構應持積極的態度與開放視野，重新檢視反芻現存的各項博物館軟硬體工作與準則，從認知層面、企劃層面到執行層面，是否都貫徹 CRPD 的真義，讓 Information for All 以及 Museum for All 不再只是表面口號，而是博物館真正社會關懷與實踐的開始（羅欣怡，2016），學做一個友善平權的博物館人，是一項永續的功課與挑戰。

附件 1〈國立臺灣歷史博物館友善平權政策〉

一、臺史博願景與使命：本館的願景是「同心守護家園臺灣，共創多元和諧社會」。建館使命中提出我們 期望營建一座：「誕生知識、快樂學習、文化平權，屬於全體臺灣人的歷史博物館」。 基於堅持此一理念並付諸行動，訂定本館「文化平權政策」如次：

二、任務

（一）建立共識：宣達推廣文化平權理念。

（二）整合計畫：溝通各組室，整合全館短期及文化友善平權相關計畫。

（三）人員培訓：辦理相關人員專業研習。

（四）成效檢視：定期檢討、檢視文化平權計畫執行成效。

（五）專業諮詢：敦請身心障礙團體、弱勢社群，協助檢視現有計畫，提供未來規劃參考的專業建議。

（六）意見蒐集：蒐集外部建議，處理違反文化平權之訴願案件。

三、基本理念：友善使用與社會平權

（一）友善使用：提供並鼓勵不同族群、職業、收入、能力、年齡、性別和性向的所有社群成員最廣泛、適當及友善使用博物館場所、收藏品、專業、設備以及服務，並努力消除因環境、生理、心理、智能與文化、認知及社會經濟所造成之障礙。

（二）社會平權：尊重包容多元社群，並於博物館中反映多元文化。促進館員、志工、既有及潛在觀眾及合作夥伴等，共同創造具包容性並啟發學習、創意和參與性的博物館。聯合合作機構和夥伴共創平權願景，消除社會一切不公平和歧視，促進平權和諧社會。

四、行動方針：具體作為和目標

（一）營造友善環境：善用通用設計原則，營造適合所有人或多數人使用的環境。
  1. 安全無障礙的園區：戶外公園、館舍空間、相關硬體設備。
  2. 安全無障礙的展示場。

（二）推動知識平權
  1. 專業資訊共享：容易使用的研究、藏品、展示等相關成果。
  2. 轉化知識的橋樑：將專業研究成果轉化為出版、教育活動、展示等可供不同需求群體運用的成果。
  3. 建立友善使用平臺：容易使用的數位資源、網路介面。

（三）開展多元詮釋：讓各族群、各社會群體都有發聲的機會，每個觀眾都可以看見、聽見多元的聲音。

（四）創造平等參與：開發多元友善使用管道，讓各群體都有機會及意願參與博物館活動、運用博物館資源。

（五）提供友善服務
  1. 以歡喜心、同理心對待所有觀眾。

2. 提供各群體所需的專業服務。

3. 設置通暢的意見交流管道，接受所有對於友善平權的建議，
   並具體回應。

（資源來源：https：//mocfile.moc.gov.tw/files/201704/657585dc-fb66-4253-93fc-8d991dbd4b79.pdf，
瀏覽日期 2021/03/20）

參考文獻

呂理政，2015。學做友善平權的博物館 - 國立臺灣歷史博物館的反省與展望，博物館簡訊，18-21。

張譽騰譯，W eil E.S. 原著，2015。博物館重要的事。臺北：五觀藝術。

陳佳利，2015。邊緣與再現：博物館與文化參與權。臺北：臺大出版中心。

陳佳利、城菁汝譯，Sandell, R. 原著，2014。博物館及人權架構，博物館學季刊，28（3）：7-26。

劉婉珍，2015。博物館對於創意老化的覺知與行動，博物館簡訊，73：26-29。

蔡宜家，2017。他們的「易讀」運動，讓全體社會一起前進，愛閱讀享堂。http://book.moc.gov.tw/book/?pg=4_bookfair_106_1.html。瀏覽日期：2021 年 3 月 20 日。

羅欣怡，2015。博物館與友善平權 - 國立臺灣歷史博物館之初步實踐，博物館簡訊，73：22-25。

羅欣怡，2016。博物館、無障礙與社會平權：從身心障礙 者權利公約談臺史博藝讀運動，2016 亞太博物館教育國際研討會手冊，43-47，未出版。

羅欣怡編輯，2015。擁抱歷史攜手圓夢 - 國立臺灣歷史博物館圓夢計畫 2013 活動回顧。臺南：臺灣史博館。

羅欣怡編輯，2016。大家的博物館 - 國立臺灣歷史博物館圓夢計畫 2014-2015 活動回顧。臺南：臺灣史博館。

視覺之外——國美館影像與空間文化平權策展實踐 [1]

趙欣怡

前言

　　2006 年聯合國公布身心障礙者權利公約（The Convention on the Rights of Persons with Disabilities）（以下簡稱 CRPD），維護身心障礙者權益，保障其平等參與社會、政治、經濟、文化等之機會，並促進其自立及發展，特制定身心障礙者權利公約施行法，使得 CRPD 保障身心障礙者人權之規定，具有國內法律之效力。CRPD 是 21 世紀第一個國際人權條約，影響全球數億身心障礙者之權利保障。為將身心障礙者權利公約國內法化，強化我國身心障礙者權益保障與國際接軌，2014 年 8 月 20 日總統公布「身心障礙者權利公約施行法」，並自 2014 年 12 月 3 日起施行。其中 CRPD 第 30 條明定保障身心障礙者參與文化、康樂、休閒及體育活動的權利，即明確指出身心障礙者有均等的文化參與權利。

　　「身心障礙」（disability）的定義為人與環境互動狀況的無法協調（Garland- Thomson, 2011）。而由於處於身心障礙狀態的時間長短而被區分為可被治癒的暫時性疾病或意外，或難以被治癒的永久性身心障礙狀態。為了解決人與環境協調的障礙，人類也開始發明各種工具及技術，試圖讓處於身心障礙狀態者得以持續參與社會活動，不會被排除在群體之外（Finkelstein, 1980）。而視覺障礙（visual impairment）是最早被定義的身心障礙類別，19

---

[1]　本文部分內容分別摘自：

　　趙欣怡，2018。自主與平權：美術館無障礙導覽科技應用研究，博物館與文化，15：43-64。

　　趙欣怡，2019。誰的攝影藝術？建構視障觀眾多感官影像詮釋之無障礙科技展示方法，博物館學季刊，33（3），43-69。

　　趙欣怡，2020。從「不可見」到「可見」：建構視障觀眾之博物館建築空間認知，臺灣博物，146，18-29。

世紀起，西方各種醫學研究科學化及標準化的發展，將視覺障礙者類化，採用各種形式的視力檢測工具及儀器來定義「法定盲」（blindness）的標準，影響許多國家的採用標準，並沿用至今（Colenbrander, 2008; Massof, 2002）。

而臺灣視障者的定義，最初在傳統社會中，由個人社會網絡來決定其能力與特質，日治初期由醫療人員進行視力鑑定，而後自 1980 年代社會福利的實施，現代社會中的盲人則是經由各式儀器進行視力測量，並根據各種制度訂定的分類標準，成為現代國家管制的移動標的，以構成現代國家對「盲人」的定義、鑑定、法律、知識、治療、輔具等多重實體類別存在（邱大昕，2013）。

根據 2014 年國際非政府組織（NGO）世界盲人聯盟（World Blind Union，WBU）統計報告，全球約有 2.85 億位視障者，而臺灣衛生福利部的身心障礙者人數統報中提及，視障者人口數近十幾年來持續不斷成長，因此如何協助視障者在日常生活有更好的體驗將會是重要的課題。近年「文化平權」（Access & Social Inclusion）意識抬頭，喚醒許多身心障礙族群參與社會活動，並促進無障礙公共空間與環境的規劃與改善，大幅增加生理或心理不便的民眾走進文化場所探索人文、藝術、科學與歷史之博物館或美術館的機會，帶領不同需求特殊族群開啟生命的記憶與視野。

近年，博物館與美術館除了無障礙的硬體環境與設施改善，陸續開始舉辦身心障礙者導覽服務及推廣活動，部分館所因應人力與成本的限制，為服務對象規劃特定時段以提供更好的服務，例如：國立臺灣美術館自 2013 年起的每兩週一次的「非視覺探索計劃」與每月一次「譯藝非凡」、國立故宮博物院自 2008 年起舉辦的「跨越障礙，欣賞美麗」、國立臺灣歷史博物館的「視障、聽障、心智障」等無障礙服務、臺北市立美術館自 2014 起的「聽障導覽服務」等，多數的身心障礙者服務大都是以團體為主要對象，主動邀請學校或社福團體到館參觀，或開放自由報名參加，到達一定人數後以團體方式依展覽安排，設計不同導覽主題與推廣活動。

雖然看似多樣性的文化平權服務能為身心障礙者提供文化參與的機會，但視聽障觀眾卻幾乎必須配合團體安排，大多數館所依現階段服務人力與營運成本，難以針對單一觀眾規劃個別參觀服務，館方依人力得以負荷的時間與空間提供服務，屬於被動式觀展模式。然而，面對不同年齡、背景、工作屬性及文化需求的身心障礙觀眾，如何讓「每一位」身心障礙觀眾都能依自己的狀況安

排前往文化館所體驗歷史、人文與科學展演活動,不受到時間或空間限制,並且能完成安全、自主且滿意的觀展經驗,則是 21 世紀博物館或美術館更要積極努力的方向。

國內的身心障礙者文化參與雖然起步更晚,但在面對身心障礙團體互動所面臨的難題與挑戰,應提供具體實踐之策略與建議,尤其是展覽設計須融入身心障礙者的需求。新規劃的常設展必須自規劃階段便將身心障礙團體的需求納入考量,針對視障觀眾,可規劃專門觸摸的常設展,或於各個展廳設置觸摸區,便能增進博物館展覽的可及性,並減少專門人力導覽的負荷,以及應用新科技,開發更適合身心障礙觀眾的設施,如多媒體語音導覽等,讓身心障礙觀眾也可以自導式參觀博物館(陳佳利、張英彥,2012)。

因此,本文將以筆者於國立臺灣美術館近年策劃攝影與建築特展為例,說明如何在策展階段即納入視障觀眾需求,試圖讓美術館的展示跳脫視覺理解常態,以視覺障礙者的聽覺、觸覺感官認知為出發,試圖在無障礙展覽空間與多元感官展示設計策劃理念下,結合科技應用,引領視障觀眾以自主參觀方式進入展場,並從中獲得相關展覽資訊與內容。

影像多感官語彙創造空間認知:
以「時‧光‧機──從古典到當代攝影藝術教育展」展覽為例

「國立臺灣美術館」於 2017 年 4 月 22 至 11 月 19 日舉辦「時‧光‧機:從古典到當代攝影藝術教育展」(以下簡稱「時光機攝影展」)。「時光機攝影展」以建構觀眾攝影藝術的發展與演變,探討影像美學的詮釋與思維,從三大主題進行規劃,以時間、光影與相機三元素規劃從古典到當代的攝影藝術內容,包含探討攝影成像原理的「暗箱繪畫術」、攝影藝術本質的「時空召喚術」,以及透過多元感官藝術形式演變而成的「影像變身術」(趙欣怡,2017)。

展覽空間的主題設計係以古典機械相機,搭配聲光互動裝置作為入口意象。本展以教育推廣理念為基礎,以攝影歷史、光學原理、影像美學、多元感官詮釋等互動展示手法,規劃不同的搭配主題,包含展間外搭建大型暗箱空間,讓民眾體驗光的物理特性,展間內以相機與攝影的簡史搭配

展示古典相機實體，帶領民眾回到攝影百年的起源。

　　展場內部則以三大主題進行規劃，共展出 20 件國內外的攝影及繪畫作品，包含郎靜山、夏陽、卓有瑞、陳石岸、高志尊、沈昭良、李正樂、陳順築、林佳文共九位藝術家。展間設計以低明度為基礎，不同展區以色彩區分展覽子題，首先以攝影史年表及古典相機陳列作為攝影基礎知識介紹。接著，開始以藝術家代表性作品呼應策展子題：第一區展示銀鹽相紙作品、幻燈片的畫布投影，以及照相寫實畫作；第二區為臺灣早期到近代銀鹽相紙寫實攝影作品，呈現單幅及系列作品，以及於後方面向陽光的廊道展示古典氰版攝影的作品與操作步驟及相關用具；第三區則是三位攝影師當代攝影創作展示，包含矯飾攝影（manipulated photography）播放長時曝光／紀錄影片、立體攝影裝置，及攝影暗房影格創作。

　　在教育展示功能方面，同時規劃氰版攝影手作工作坊與觀察暗箱互動區，所有觀眾皆可透過文字及教具互動理解古典攝影技法，並且學習「光圈」與「焦距」原理。以及在展場中將影像進行文字、語音、點字、觸覺圖、立體模型、APP 等形式的轉化，為了讓視障觀眾可進入主展場，特別設立無障礙展示專區，讓有多元感官需求的觀眾可獲得更多影像資源，進而認識攝影藝術。

　　其中針對視障觀眾，為提供更多服務資源以探討影像詮釋的多樣性，透過影像再現、被攝對象與影像解讀三個方向去發展攝影作品的「觸覺圖像」、「立體模型」及「口述影像語音」等影像解讀形式，同時製作展間觸覺點字地圖，讓不同需求的觀眾在參觀前建構心理地圖，並以自身的觀賞經驗去獲取影像概念與思維，落實攝影教育平權的理念。

　　因此，筆者作為策展人角色，以文化近用理念規劃無障礙觀覽設施，使用館內已購置的立體圖形熱印機製作展出攝影作品之觸摸圖，並配合點字圖說資訊，設計點字雙視之主題說明板牆、作品牌與宣傳品，規劃無障礙引導設施，製作攝影作品之觸覺圖像，以及運用 3D 列印技術將館內典藏攝影作品立體化，同時結合本館「國美友善導覽 APP」製作教育展作品口述影像語音與手語動畫導覽內容，搭配微定位 Beacon 安裝設定，讓觀眾可借用館內無障礙導覽機或使用個人智慧型行動載具，完成豐富多元的參觀經驗。

　　面對視覺障礙觀眾的影像理解需求，依「詮釋型」攝影展覽的影像敘事內容分析，「時光機」攝影作品多樣性展出內容提供了三種多元感官詮釋方法。

首先，從純平面影像到熱感應浮雕可觸摸的圖像製作，依影像內容設計可區分的差異性圖樣肌理觸覺圖，並搭配口述影像敘事內容，加強描述視覺圖像資訊比例，包含：色彩、形狀、線條、尺寸、構圖、肌理、空間等訊息，並且將文字內容轉化為點字、語音及放大字體等多元閱讀形式。

其次，則是從上述觸覺化攝影圖像中選擇仍難以理解的作品，包含：攝影技法概念及被攝對象的原始色彩、複雜且重疊的圖像資訊內容，以及一點透視拍攝角度而被壓縮的空間層次，透過立體化的設計，並增加色彩訊息及互動裝置，以符合攝影展品原始內容的真實性。

最後，本展覽為視障觀眾所規劃的參觀動線結合展場空間訊息及自主導覽科技應用程式，串連攝影作品之間的脈絡關係，並且增加定向行動的認知理解能力，建立展品與空間相對位置的概念，提昇個人化參觀互動體驗，將於本文第四點無障礙科技中整合說明。

一、影像詮釋的多元感官轉譯

影像的解讀主要來自視覺認知，然而對於視覺障礙觀眾，影像的文字詮釋與觸覺感知則是另一種影像理解的形式。該展展出 20 件國內外 9 位藝術家的攝影及繪畫作品，依展覽無障礙展示整體規劃設計原則，從 20 張攝影作品中選出 15 件，透過影像的高反差轉化，把攝影或繪畫作品的內容分析為黑白的點線面資訊，並針對展品主題、空間訊息、物件輪廓、材質肌理進行觸覺轉化，再將圖片複製到覆膜感熱紙上，經過感熱機加溫後，圖片上的深色點、線、面範圍會感熱凸起，依導覽內容改變不同觸覺重點區域，讓視障觀眾可透過觸摸感知內容，以增加對作品圖像的理解（圖 8-1）。

由於熱印圖僅有凸起與平面的浮雕特性，無法提供太多立體的複雜訊息，加上視障觀眾所閱讀的資訊如同導覽內容須經過簡化取捨。因此從 15 件作品中可發現作品原圖有黑白及彩色的攝影與照相寫實繪畫作品，彩色資訊以色相與明度高低進行高反差轉化，明度低以黑色表示，明度高以白色表示，如〈香蕉系列之七〉以凸面表示黃色香蕉皮，白色香蕉肉不凸起，而是以線條表現果肉上的細紋；或依據作品要傳達的導覽主題與內容重點分析其畫面凸起比例，並將畫面以塊狀的凸面及非凸面進行區分，例如〈鹿苑長春〉強調在春日午後休息的梅花鹿、〈跳！跳！跳！〉強調日正中午的影子、〈柬埔寨吳哥窟〉強調頭向下栽的人；或以凸起的塊面或線條粗

圖 8-1 「時光機攝影展」無障礙展示區提供口述影像、觸覺圖、點字資訊、立體模型（國立臺灣美術館提供）

細強調空間距離遠近的差異，例如〈部落的孩童（星期六下午）〉的小狗位於前方位置、〈穿牛仔褲的人〉以左粗右細的線條表示人物由左向右移動的方向；或以統一的簡易圖案表示屬性雷同的複雜影像，例如〈摸蛤兼洗褲〉與〈投籃競賽〉以簡化草的線條樣式表示樹叢或草地。由此可見，製作平面作品的立體轉化必須依據其內容特性去選擇不同的製作設計方式（趙欣怡，2019a）。

其次，在聽覺理解上，作品導覽文字則以口述影像敘述作品內容，將視覺資訊中的色彩、線條、形狀、造型、材質、肌理、構圖、空間等訊息，輔以文字解釋出來，撰寫約 150 至 200 字的內容，以 2：5：3 的內容比例依序描述作品基本資料、畫面口述影像內容、作品技法與藝術性。作品的介紹如有特殊的藝術家姓名或作品名稱，則須以詞彙分開解釋說明單字意涵，例如：夏陽，夏天的「夏」，太陽的「陽」。

口述影像的內容則是視障觀眾的理解重點，因此作品的口述影像描述內容可搭配觸覺圖引導視障觀眾觸摸觸覺教材，依展品內容可從主題的重要性高至低，從範圍大至小，試圖構成視障者的視覺圖像認知概念。而作品技法或藝術性則與視覺資訊關聯性較低，可於視障觀眾理解作品整體圖像概念後，再提供更多深入訊息，以深化對作品的詮釋性與感受力。

二、從平面到立體的觸覺互動模型

「時光機展覽」中雖提供 15 幅浮雕觸覺圖及口述影像語音，但對於視障觀眾而言，對於被壓縮後的空間平面資訊，仍難以透過觸覺圖轉化獲得完整的立體空間認知。因此，筆者在考量製作成本、展品的攝影藝術性及作品內容特色原則中，從 9 位藝術家的 20 件作品中選擇郎靜山〈鹿苑長春〉、陳石岸〈投籃競賽〉及沈昭良〈映像南方澳系列 -2〉的作品，從平面轉化為半立體與全立體形式互動模型，運用 3D 列印技術搭配多元媒材的組合設計，還原攝影內容的空間資訊，並在傳統黑白攝影作品加上原始色彩資訊及語音互動，提昇視障觀眾對於藝術家拍攝情境的感受與想像。

郎靜山〈鹿苑長春〉在設計過程中則以可移動式的物件作為互動重點，以作品的主角「梅花鹿」與「檜木」製作成半立體造型，並且依原始畫面內容比例繪製背景，區分為不同層次的影像。再將作品主角作為移動目標，畫面的左方「檜木」可上下移動，畫面右下方的「梅花鹿」則可自由在畫面中移動，在梅花鹿後方加上磁鐵，可吸附回歸藝術家作品的設定位置；此可移動的互動特性，模擬郎靜山大師在暗房進行底片多層次堆疊與調整的特色。

陳石岸〈投籃競賽〉在立體模型的設計上，以 360 度的場景模擬孩童在操場上遊樂的環境，圓形的底座可旋轉，操場的材質以草皮模型表現原始環境的質感，而草地上的孩童僅選擇 7 位表現不同的造型與動作，並以當時的時空背景模擬制服的顏色，且設計可觸摸的圓球與籃框，讓視障觀眾可循著支架與線條觸摸到物件，體驗當時的遊戲情境，將圓球拿起丟入籃框中。投入後，則於籃框內部設計紅外線感應裝置，感應到球體後則觸發語音內容，播放有輕鬆配樂的口述影像導覽介紹語音（圖 8-2）。

圖 8-2　視障觀眾使用點讀筆聆聽口述影像，並觸摸立體互動展品理解作品概念（筆者提供）

　　沈昭良〈映像南方澳系列 -2〉描述藝術家親眼觀賞在地居民旁觀意外捕捉豆腐鯊的過程，由於影像的特性為一點空間透視結構，鯨鯊造型被平面壓縮後，視障觀眾仍難以透過浮凸觸覺圖感受鯨鯊的完整原始形體。因此，在立體模型設計上，針對主角「豆腐鯊」與「男士」等比例方式立體還原尺寸，鯨鯊身上的斑點刻意以凸點表現，讓視障觀眾觸摸到點狀圖案，男士則細膩的刻劃身體動作與表情，背景則以浮雕線圖表現，並模擬蘇澳當地港口環境、人物與動物等色彩訊息，灰色的地面則以砂紙貼底表示粗糙的質感，試圖讓視障觀眾理解攝影作品中被壓縮的空間、物件與材質資訊。

　　因此，攝影的紀實性與平面化可依拍攝者視角重新檢視空間內容，透過展示設計的淺浮雕或全立體複製展品，重新再現可觸摸的攝影詮釋內容，搭配口述影像的分層解碼及編碼，附加色彩意涵，讓視障觀眾以多元感官深入理解藝術家的創作理念。

三、空間視角建構平面圖像轉換概念：以「國美 4.0 建築事件簿」展覽為例

　　「國立臺灣美術館」於 2019 年 10 月 19 至 2020 年 2 月 16 日舉辦「國美 4.0 建築事件簿」（以下簡稱「國美 4.0 建築展」）。

　　「國美 4.0 建築展」展覽是以國美館建築為主體，將建築物如生物演化的有機發展過程分為四個版本：1.0 萌芽與挑戰，說明臺灣省立美術館（簡稱省美館）的興建起源以及美術館所面臨的挑戰；2.0 破裂與重生，帶出從省美館進入國美館時期所歷經的爆破藝術行動及九二一地震，直到以「水牛計畫」完成整建工程；3.0 成長與變革，藝術銀行成立及新典藏庫擴建完工代表美術館建築空間與任務的延伸；4.0 擴張與進化，因應未來國家美術館走向美學扎根、人文友善、跨域整合及攝影文化推動等目標，在不閉館的前提下，進行多項整修工程，帶領觀眾親臨展場與工地現場，參與兒童美術教育中心、電扶梯增建、園區改善，及國家攝影文化中心籌備等未來願景實踐過程（趙欣怡，2019b）。

　　以下筆者作為策展人提出幾個策展規劃執行項目，分為口述影像展品選件原則、自主導覽單一動線規劃及引導裝置、依多元參觀需求設計固定式與活動式輔具，以及於第四點無障礙科技說明透過科技口述影像之展品述說及空間引導資訊。

（一）口述影像導覽展品選件原則

　　展品選件以代表性、重要性及內容多元性為依據，並考量展品與展品之間的移動距離不可相距過遠，因此展品配置地點也是考量重點。導覽內容以 10 則內容為主，展覽子題分為四個，除展場入口及展覽總說外，每個階段主題至少需包含 1 則內容。

　　首先，國美館建築歷史的新建及整建工程為重要階段，因此 1.0 及 2.0 階段，分別以兩則介紹國美館本體建築變化立體及平面資訊；3.0 有 1 則介紹藝術及典藏庫空間擴張；4.0 則是現階段的重要工程，兒童美術教育中心、電扶梯及國家攝影文化中心共 3 則。展覽作品類型包含歷史文獻、數位內容、空間裝置、立體模型、平面圖與立面圖等，分佈於 101 展覽室中間範圍的四周，可平均展品與展品之間的移動距離，並依照原始展品的特性選擇多元屬性內容。

（二）自主導覽單一動線規劃暨引導裝置

　　展場於入口處提供可觸摸點字立體地圖，讓視障觀眾先建立展品配置及動線順序。尤其視障觀眾自主參觀路徑需配合單一動線，以避免多動向混淆移動方向，並搭配口述影像解說與引導內容，設定可直接面對、可觸摸或互動展品輔具為導覽定位點（圖 8-3）。

上圖 8-3 　「國美 4.0 建築展」展場入口提供 APP 下載及展場點字立體地圖資訊

下圖 8-4 　視障學生藉由展場導盲定位磚及觸摸立體模型輔具提升自主導覽成效

另以視障觀眾觸覺引導需求，特別規劃以展牆作為移動軌跡，並且於定位點設置 5×5 不銹鋼導盲磚，讓視障觀眾以腳底感知導盲磚抵達展品正確定位點，同時自動觸發口述影像語音內容，並且依序觸摸前方立體模型，進而理解美術館建築的空間結構（圖 8-4）。

展場設計上，一進入展場後往左開始移動，移動時左手可觸摸展牆，抵達定位點時再轉向展牆面對展示內容。同時，視障觀眾下載「國美友善導覽 APP」至個人行動裝置或租借導覽設備，在藍牙訊號發射半徑 1 公尺範圍內，自動觸發口述影像語音導覽內容。

（三）依多元需求設計固定式與活動式輔具

為方便視障觀眾自主參觀移動，並且感受展場中與觀眾相同的參觀經驗，可直接在展場觸摸展品及相關資訊，包含：展場地圖、建築模型、點字、平面圖、立面圖。立體觸摸地圖固定設置於展場入口，兩座立體點字模型設置在原模型附近。點字以透明膠膜列印，平面圖與立面圖以雙層透明割字線條圖案張貼在展牆上，覆蓋原始文字及圖面內容，運用通用設計的雙視閱讀，讓視障觀眾可直接觸摸。而活動式輔具，則是將上述的主要輔具，另外製作成可攜帶的單一觸覺展場圖觸覺平面圖及立面圖、點字本，提供視障觀眾隨身攜帶或離開展場時使用。

因此，將原先美術館建築立體空間無法觸及的特性，轉換為透過不同視角的投射凸面並依比例縮小尺度的模型，讓視障觀眾從局部的理解到整體的掌握，藉由可觸摸的平面圖與立面圖，重新建構空間的多元視角，進而將之整合成巨大的空間概念。

四、自主導覽無障礙科技整合口述影像：以「國美友善導覽」應用程式為例

近年行動應用程式 APP 在文化展館的使用普及性也成為改變觀眾參觀行為與模式的原因之一，無論是使用個人的智慧行動裝置或是租用館方的導覽機具，都成為當下的博物館發展趨勢。尤其，數位科技潮流下的影響，「個人」的博物館參與經驗成為主要服務目標，透過社群媒體、科技載具、數位內容產生出博物館與「我」的連結，強調以「人」為本的服務方向，取代過去以「物」為博物館營運導向的現象。因此，博物館未來逐漸朝向透過個人化的使用經驗

提升觀眾的學習效益（劉君祺，2017）。

文化部與科技部自 2015 年起合作推動「人文友善科技計畫」，因此，國美館致力推廣獨立自主參觀的應用程式「國美友善導覽 APP」，是臺灣首支結合視障與聽障自主導覽服務的無障礙科技資源，自 2016 年 12 月上線以來，下載推廣次數已累積近 5,000 次，並搭配多元類型的展覽主題增加導覽內容，包含：戶外雕塑園區、攝影藝術展、建築展、多元媒材展品常設展等（趙欣怡，2018）。

「時光機展覽」除了上述提供給視障觀眾的展品觸覺教具，為提供視障觀眾完整的觀展體驗，亦鼓勵觀眾進行自主導覽。「時光機展覽」製作點字雙視觸覺語音立體地圖，可直接觸摸雷射切割的地圖觸覺資訊，亦可使用點讀筆感應觸發語音內容，聆聽口述影像語音，策展人亦規劃搭配藍芽信標感應裝置（Beacon）微定位技術結合「國美友善導覽 APP」應用程式，延續 2016 年 12 月完成的「戶外雕塑園區」及 2018 年 1 月完成的「聚合‧綻放：臺灣美術團體與美術發展」和後來調整為「家‧屋」導覽主題與內容（圖 8-5）。

而後陸續增加製作本文提及「時光機攝影展」及「國美 4.0 建築展」導覽

圖 8-5
視障觀眾使用點讀筆聆聽口述影像，並觸摸立體互動展品理解作品概念（筆者提供）

主題，可下載至視障觀眾的個人智慧型載具，或向館方租借無障礙導覽機，讓視障觀眾在參觀前先建構個人心理地圖的空間概念，透過觸摸瞭解展品位置與定向資訊，進行自主導覽。

在 2017 年「時光機攝影展」的無障礙展示地圖設計上，除了以透明膠膜製作點字，以深色底淺色字作為文字顯示對比，以利低視能觀眾閱讀，並以簡易的木質雷射切割製作簡易的資訊，以幾何形狀三角形代表視障觀眾的現在位置，圓形代表作品位置，大範圍的區域則以不同的圓形凸點觸覺肌理表示互動展區，平滑的表面則代表展場空間牆壁範圍，並以直線凸起線條肌理表示展場後方的玻璃窗，非全盲的觀眾可透過玻璃窗的光線引導參觀動線。

另外，攝影展地圖放置在展場入口處，視障觀眾也可借用點讀筆感應地圖左下方的凸點感應口述影像介紹內容：「您可以在進展場前左側柱子上找到一個觸覺立體地圖，地圖左側有一排圖示，三角形代表您所在的位置，圓形代表作品的位置，點狀圖案代表互動區域，空白區域代表牆壁，垂直的直線則是玻璃窗，上面也有點字說明藝術家的作品位置。可以先到面對入口右側的 3D 列印互動區，除了可向展場人員借用點讀筆聆聽觸覺圖作品介紹，也有相關點字雙視與放大字體資訊可觸摸。在這裡你可以觸摸 3 件立體化的藝術家攝影作品，包含可移動物件的郎靜山〈鹿苑長春〉作品、提供語音互動的陳石岸〈投籃競賽〉作品，以及沈昭良的〈映像·南方澳〉豆腐鯊作品。」協助視障觀眾建構心理地圖概念，以利攝影作品欣賞與理解。

2019 年「國美 4.0 建築展」為提供視障觀眾對於國美館建築空間認知，於展場入口左側設置展場立體地圖，提供觸摸與點字的空間資訊，並可下載多元感官服務應用程式「國美友善導覽 APP」，開啟建築展各項主題搜尋模式與藍芽功能，連接室內微定位藍芽信標裝置，運用自動觸發技術聆聽口述影語音導覽內容。地面同時裝設有 10 組不鏽鋼導盲定位磚，展牆上展示點字、觸覺圖與立體模型，視力不便的觀眾可依照動線規劃進行自主導覽體驗。該應用程式在展覽結束後，仍可選擇地圖或清單模式聆聽 10 則口述影像導覽內容，認識國美館建築的歷史與特色。

在上述 10 則口述影像語音導覽中就是以「國美友善導覽 APP」為自動推播介面，包含主題說明、視覺資訊與觸摸展品解說及空間引導資訊三個部分，每一則內容需延續前一則空間引導資訊，先從說明所在位置及導覽編號，簡述展品主題，再進入視覺資訊解說，將色彩、線條、形狀、尺寸、位置、方向以文

字轉譯，並搭配輔具，讓視障觀眾逐一觸摸，最後再接續說明下一個導覽定位點的移動方向與距離。

以下連續兩則不同輔具展品口述影像內容為例，說明點字立體模型、平面圖與立面圖解說內容，前後則引導資訊如何接續，並在導覽內容中配合身體移動需求，錄製語音預留移動距離時間，讓視障觀眾有充分時間依照語音時間完成自主導覽。

（一）國美館整建時期建築模型

「現在您的位置是第五個導覽點，您可以伸起雙手向前，會觸摸到展台的外緣，有一個面積大約像學校課桌一樣的展台，展台的高度大約在您大腿的位置。您可由左至右觸摸國美館 2004 年整建後的建築模型，最大的不同是原本的大門口已由玻璃帷幕覆蓋，由建築師創造一個向東移動的新入口，以及南北向的空橋，讓民眾可以移動到建築物比較中間的位置再進入美術館。從新的入口進來後會分成東西兩側，西側是大型的展間，東側則是美術街以及小型展示空間，透過這樣的設計能有效縮短觀展路線，內部動線也做了很多水平的連結。美術館建築的二樓建立一座南北向的空橋，讓民眾即使在美術館休館期間也能夠通行，行經時能看到美術館的內部空間，連結後方草悟道，彌補了 1.0 時期建築師提出的城市綠帶串聯的概念。另外，為了解決防空避難室的不足，從東側廣場地面下挖出下凹庭園，挖出來的土方則推放在美術館前靠近五權西路創造出一座緩坡。下凹庭園也被稱為土庫之心，是連結室內外空間，除了旁邊有春水堂餐廳，為解決消防法規建構的防空避難室也成為了現在的數位方舟，接下來也即將蛻變成兒童美術教育中心。在模型的同一面展牆內容是 2004 年建築師雜誌針對國美館整建完工後的完整報導。接著，請您面對模型展台，身體稍向後退一步，避免踢到腳下凸出的木結構，身體向左移動約 3 步，雙手離開展台後，向前直走約 10 步，抵達第 6 個定位點。」

（二）國美館介紹（含平面圖、立面圖）

「現在您的位置是第六個導覽點，您可以觸摸到正前方的展牆，請張開雙手觸摸展牆。這一區的展牆範圍較大，因為 2.0 階段的破裂與重新階段歷經大規模空間轉變。展牆上說明開館後因展示牆面不足及館舍內部空間過大等問題，館方即開始研議辦理館舍整建規劃計畫，歷經蔡國強『不破

不立』引爆展、九二一大地震、館舍整建工程解約等歷程，直到民國 90 年 8 月 16 日重新辦理館舍整建徵選建築師評選，由『張哲夫建築師事務所、柏森建築師事務所、餘弦建築建築師事務所』團隊獲選，整建工程則由『三星營造股份有限公司』承攬，以『人與自然交織』設計理念，變更大門入口動線，增加二樓空橋連結館舍前後的綠帶，創造下凹庭園增加建築空間內外連結，改善內展示空間尺度及功能，讓國美館館舍再次重生，為期三年的整建工程，民國 93 年 7 月 3 日重新開館啟用。現在請您雙手移動到頭部高度，由左至右觸摸整建的北向立面圖，原本圓拱形的大門已經看不到，被大面格狀玻璃帷幕所遮蔽，而立面圖的右側則是增加了許多落地玻璃增加美術大街的採光，相較省美館時期的建築外牆，整建後的建築造型有明顯差異。接著您可以面對展牆，身體向左移動約 2 步的距離，約肩膀的高度可以觸摸到 2.0 階段國美館整建後的一樓平面圖，由左向右觸摸，可以發現到主結構的西側大致沒有什麼改變，但是當時為了改善東西動線過長問題，早期的大門已經向建築主體內縮一些，您也可以在平面圖的中間位置摸到串聯起美術館南北向的空橋，上下都有向外延伸的線條。接著請您向右轉，左手觸摸展牆往前移動約 7 步會摸到延伸出的木作展示台影片，內容播放的是整建時期的 3D 模擬動畫，向前行走 12 步，移動中會經過的展牆內容是當時 2002 年建築師雜誌對於整建工程建築競圖的報導文章。遇到轉角後，請再右轉並向前直走 8 步，移動中會經過的展牆內容是整建建築師楊家凱和陳宇進為本館學術期刊《臺灣美術》發表的文章內容，介紹建築的設計理念與想法。往前走到轉角，請向左轉，再順著有電視的展牆往前移動經約 8 步後，即可抵達第 7 個定位點。」

　　由上述兩則口述影像語音可發現前後空間引導資訊如何建立視障觀眾空間定位，展品解說及空間引導資訊則需依照視障觀眾實際移動距離及觸摸互動預估時間，藉此完成正確參觀動線及展品導覽順序。

　　另一方面，由「國美友善導覽 APP」各展覽主題的設計規劃、實測過程、使用反饋中可獲得以下幾項建議（趙欣怡，2018）；

1. 口述影像導覽內容：著重作品視覺化描述內容比重，搭配觸覺輔具設計詮釋順序，語音長度以 90 秒至 120 秒較符合視障者的聆聽需求。
2. 使用介面字體與色彩設計：符合低視能視障者的對比色彩需求，文字以淺色字搭配深色背景，操作介面可調整字體大小。

3. 定向行動指引資訊：以口述影像方式描述參觀引導動線，製作觸覺立體地圖建構空間概念，提供單一參觀動線的輔助定位引導磚或觸覺定位設施。

4. 觸覺參觀輔具與教材：搭配科技導覽以創新技術如 3D 列印、雷射切割等製作藝術品的觸覺圖、浮雕、半立體或全立體模型，轉化平面與立體作品的空間認知概念，以及理解原作全貌與局部的尺寸縮放概念。

5. 微定位自動觸發導覽內容：透過 Beacon 裝設，設定在展品 1 公尺內的感應距離，並搭配定位引導設施，提供自動觸發導覽語音功能。

6. 無障礙導覽設備：提供充足便利的輕便導覽機具、保護裝置、單耳耳機，以及參觀前清楚的操作說明。

7. 展場人員教育訓練：服務人員應接受充分教育訓練，除協助視障觀眾操作 APP，學習語音朗讀模式操作方式，並可處理簡易障礙排除。

8. 多元行銷與推廣宣傳：主動提供不同電子平台下載 APP 或語音內容之平台，積極提供無障礙科技導覽資訊給視障社福團體及特殊學校。

因此，「國美友善導覽」APP 的口述影像對視障觀眾而言是主要理解藝術作品的詮釋形式，經由藝術品的視覺資訊文字與口語化，搭配觸覺導覽設施與輔具，透過導覽資訊的編碼、解碼，再重新編碼，讓傳統的視覺觀展形式轉化為以聽覺及觸覺為主的參觀體驗。

結語：文化平權的下一步

近年，社會共融（social inclusion）理念逐漸受到關注，視障觀眾需求成為更多博物館與美術館積極服務的目標，尤其每個館所的建築都是視障觀眾接觸博物館的第一印象，如何由外而內提供結合視覺、觸覺與聽覺的建築空間資訊，更是需要積極建置的必要參觀資源，包含：文字、點字、語音、圖像，甚至考量低視能與高齡觀眾，顏色資訊高反差對比、放大字體、易讀資訊等，提供跨齡、跨障別的自主參觀服務，都是未來博物館與美術館應逐一努力達成的目標。

因此，「時光機攝影展」期許以國家美術館的教育策展立場，將視障觀眾的實際參觀需求作為展示設計基礎，從視覺影像內容透過各種感

官訊息的轉譯與再現，結合創新的科技與技術，讓美術館超越視覺欣賞影像藝術的可能性，創造多元感官之文化詮釋與溝通多樣性，帶領視障觀眾從古典攝影文化觀點切入。展覽中多樣的攝影作品，歷經古典攝影不同發展階段，包含：暗箱原理、日光顯影、暗房沖印等技術，以及風景寫意、紀實攝影到編導創作等攝影主題，試圖從展覽作品中探索攝影藝術在技術、設備、觀念與形式上的多元特色與多重轉變，反思在快速而精進的數位影像媒體洪流下，如何去認識與想像攝影藝術的起源與美好，進而探索影像的多元意涵與詮釋角度，讓攝影美學種子能逐步深植於教育沃土中。讓視障觀眾相信失去視力並不代表無法享受藝術文化，而是以「非視覺美學」的觀點認識世界，突破視覺藝術侷限於視覺上的理解與表現，而以多元感官的訊息接收形式再現，培養攝影美學文化素養與藝術知能。

其次，「國美 4.0 建築事件簿」展覽中的「可見」或「不可見」，並非強調視覺不重要，而是嘗試打破視覺侷限來認識空間，強調聽覺、觸覺、味覺、嗅覺與身體覺的多元利用，透過視障觀眾的需求設計多元感官輔具。以通用設計觀點而言，國美館對於視覺障礙觀眾的無障礙規劃內容，同時也提供所有觀眾藉此開啟建築展覽以觸覺及聽覺認識館舍建築的機會，學習透過視覺以外的感官去重新理解世界，開發鮮少被探索的感知，進而以同理心去理解視障觀眾需求，並肯定視障者的空間認知能力，落實視障者文化參與平權理念，以及擴大社會大眾文化近用權。

最後，透過科技整合視障觀眾的參觀需求除了展品的觸覺資源，同時也必須搭配展覽空間的完整資訊，而觸覺立體地圖的製作形式應以展場空間的複雜性決定製作方式與尺寸，並可以固定或可動地圖裝設方式輔助視障觀眾的參觀動線理解。其次，由於展示設計規劃的需求與限制，在帶領視障觀眾參觀展間觸摸點字資訊，或使用微定位技術觸發聆聽口述影像導覽內容，可提供特別空間範圍讓視障觀眾在安全領域內規劃「無障礙展示互動區」，以多元感官探索展覽攝影作品。除了提供視障觀眾更多元的影像詮釋資訊，也提供一般民眾以多元感官認識攝影的多樣性，讓文化平權理念能昇華至文化近用，讓身心障礙觀眾及所有觀眾都能打破視覺侷限，重新理解攝影藝術，創造更具有社會包容與公正價值的展示型態。

參考文獻

邱大昕，2013。誰是盲人：臺灣現代盲人的鑑定、分類與構生，科技、醫療與社會，16：11-48。

陳佳利、張英彥，2012。博物館與身心障礙團體的文化參與權：英國與臺灣的個案研究，博物館學季刊，26（2）：89-109。

趙欣怡，2017。策展專文─時光機：從古典到當代攝影藝術教育展。臺中：國立臺灣美術館。

趙欣怡，2018。自主與平權：美術館無障礙導覽科技應用研究，博物館與文化，15：43-64。

趙欣怡，2019a。誰的攝影藝術？建構視障觀眾多感官影像詮釋之無障礙科技展示方法，博物館學季刊，33（3），43-69。

趙欣怡，2019b。策展專文─國美 4.0 建築事件簿，頁 7-25。臺中：國立臺灣美術館。

趙欣怡，2020。從「不可見」到「可見」： 建構視障觀眾之博物館建築空間認知，臺灣博物，146，18-29。

劉君祺，2017。博物館與「我」─以個人數位服務促進博物館參與，博物館學季刊，31（1）：27-57。

Colenbrander, A., 2008. The historical evolution of visual acuity measurement. Visual Impairment Research, 10: 57-66.

Finkelstein, V., 1980. Attitudes and Disabled People. NY: World Rehabilitation Fund.

Garland-Thomson, R., 2011. Misfits: A feminist materialist disability concept. Hypatia, 26（3）: 591-609.

Massof, R. W., 2002. The measurement of vision disability. Optometry and Vision Science, 79（8）: 516-552.

聲聽共融：國美館聲導覽經驗與省思

陳詩翰

前言

　　回應 2011 年 11 月 13 日「下個百年，沒有障礙」跨障別大遊行的資訊平權訴求，文化部所屬國立臺灣美術館開始積極推動友善平權措施，營造近用無障礙的藝文環境，於 2014 年 4 月，策劃了以聾觀眾為對象的手語翻譯導覽服務活動：「攜手・譯藝非凡」，每月固定辦理一次。2017 年 8 月首開全臺風氣之先，舉辦由聾人擔綱手語解說的聲導覽活動，解說展覽主題：「記憶與重疊與交織－後解嚴臺灣水墨」，隨後每逢寒暑假各辦理一次，迄今（2021）已辦理 8 場梯次了。主持以上 8 場聲導覽工作的筆者係啟聰學校聽障老師，茲野人獻曝，文字撰述自身從事聲導覽過程的種種歷程並回顧感想，從中提出聽障族群在參與藝文活動方面的個別需求與可能的障礙，以及資訊接收等平權議題，並分享從事聲導覽的基本觀念及作法，望能拋磚引玉，引起博物館與藝文界人士更廣泛的關注與投入，進而思考文化平權服務的必要性，營造藝文活動近用之無障礙環境，並開發潛在身心障礙觀眾，鼓勵他們踴躍進場參觀，減少與一般主流族群的隔閡；培養其藝文素養與興趣，拓展見聞並陶冶心靈，促使人類社會共融，文明和諧進步。

童年經驗與聲導覽緣起

一、童年經驗與成長背景

　　筆者本人先天失聰，一生下來就全然聽不見語音，然父母不放棄，從小就孜孜不倦於幼兒啟蒙教育，不忘多方鼓勵培育各種學習興趣，使筆者接受各式各樣的外在刺激，以拓展生活觸角，促進認知發展。筆者老家住南投縣，小三那年南投縣立文化中心落成啟用（1982 年），家父便經常帶領本人進館參觀各

項藝文展覽，領略各種藝術品的美感與培養鑑賞興趣能力，並辦理借書證，在該中心的兒童閱覽室常常借閱大量童書與青少年讀物，課餘時光經常流連忘返於館藏書香世界。隔年升小四時，臺中市立文化中心相繼成立（1983 年），每週日家父騎機車載弟弟和我，花一小時半車程去那裡還有附近的省立臺中圖書館、國立自然科學博物館等參觀，並借閱更多的書籍。童年時期有親人的陪伴鼓勵，經常進館參觀展覽與使用借閱資源，多年實踐下來，不知不覺培養出博物館參觀習慣與閱讀興趣，勾引起探索學習的動機，幫助往後在校學習、教書工作乃至整個生涯發展甚鉅。求學路也以美術班為主軌，大學時期唸過特教系與美術系，取得特教、美術科教師證，進入臺中市立啟聰學校高中部美工科教書，研究所於彰師大藝術教育碩士班進修，畢業論文題目為《成年聾人美術館參訪經驗的困境與對策》，係全臺首次探討聾人美術館經驗議題的學術文章。

二、聾導覽緣起

2011 年 11 月 13 日「下個百年，沒有障礙」跨障別大遊行，最大訴求為資訊與文化平權，文化部也因應推動文化平權工作，其所屬國立臺灣美術館自近年來積極實施友善平權措施，營造近用無障礙的藝文環境，2014 年 4 月開始特別策劃了以聾觀眾為對象的手語翻譯導覽服務活動：「攜手・譯藝非凡」，每月固定辦理一次。那時為教書工作而遷居臺中市的筆者，由於地緣之故，加上館內提供手語翻譯導覽服務，藝文展覽資訊接受無礙，遂成為國美館忠實觀眾。每月一次的手譯導覽，只要有空的話每場必到，從頭到尾享受文化近用服務，風雨無阻，久而久之跟負責該業務的館員、導覽志工人員和館方聘請的手語翻譯員等固定班底混熟了，有如老朋友般的熟稔親切，每次活動集合見面都會彼此問好。過了 3 年，某一次手譯導覽活動結束後，教育推廣組助理研究員吳麗娟小姐忽然親自詢問筆者本人是否願意出來擔綱聾導覽手語解說工作，直接服務聽障族群，貢獻身為美術教師所學呢？就這樣譜起筆者與國美館聾導覽之緣曲了。2017 年 8 月起開全臺之先，首度由國美館邀請聾人，也就是筆者本人來擔綱手語解說的聾導覽活動，解說展覽主題為「記憶與重疊與交織－後解嚴臺灣水墨」。隨後每逢寒暑假各辦理一次，2020 年暑假一口氣連辦兩次，迄今（2021 年 4 月）已 8 場梯次了。

從每場必到的純粹忠實觀眾，後來獲聘為美術館聾導覽員，直接服務同為聽障族群的觀眾，讓筆者從文化資訊接受者轉變為文化資訊傳達者，深受自小

經常進館參觀經驗的影響，以及多元圖書資源累積而來的知識能力，誠為意想不到的成長機遇與人生榮譽徽章。

聾人資訊接受的需求與聾導覽準備作業

一、聾人資訊接受的需求

依筆者本人 20 年教學經驗，加上聽聞過無數聾生充滿辛酸血淚的學習心路歷程與學者專家的教學建議，歸納聾生課堂教學大忌主要有二：

（一）一般學校課堂常見的傳統口述講授方式（張蓓莉，2003）

（二）僅使用板書文字而無其他輔助線索說明（教育部，1988）

側重聽覺印象的口語文字以單一資訊形式單向灌輸，對於側重健全視覺器官，需要接受影像、圖案等視覺符號訊息的聾生來說，根本是弱勢學習，均是教學現場中不瞭解聾生學習需求的聽人教師常犯的錯誤（林寶貴、錡寶香，1990），同樣地，針對聽障族群資訊接受需求的聾導覽也應避免重犯過去學校教育階段以上弊端。

對於聾人的資訊傳達，應顧及聾人本身的母語能力與視覺優勢學習模式，著重多感官管道的引導，而非將聽人聽語思維、口語文字霸權與聽覺接受單一方式強加諸其身上，造成過去文化參與不平權與資訊接受不對等的問題。

早在民國 77 年，臺灣地區特殊學校辦理績效評鑑報告（教育部，1988）中指出：宜強調視覺優勢學習模式，多利用實物道具、圖卡照片、掛圖等視覺線索輔助教學，來幫助聾生理解教書內容。其次是引導多感官學習，如運用視覺、觸摸、嗅聞、辨味等來鼓勵聾生體驗、觀察並操作運用，從做中學，獲致真實感受，加深學習印象，彌補聽覺單一感官能力缺失的不足。最後是考慮其母語能力水準，安排母語導覽解說服務，增進資訊吸收效果，降低主流口語文字不利文化弱勢族群資訊接受的阻礙。

二、聾導覽事前準備作業

在導覽準備上，筆者認為介紹物件數量內容宜多勿少，寧可準備多一點，尚有時間可以隨時補充上場解說，也不可短缺漏少，以致草率結束了事。每次聾導覽前置作業，差不多於活動前一個月內進行，預先安排導覽動線、導引順

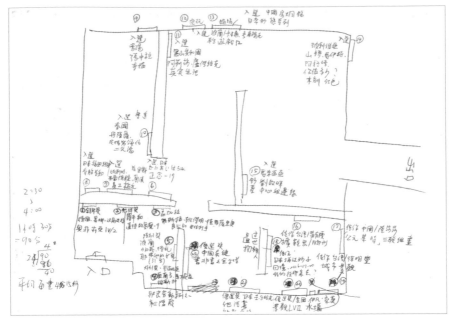

圖 9-1
聾導覽物件
動線紀錄資
料之一

序，並準備 20 件左右題材作品，筆者往往要跑美術館三、四次，在展場穿場踩線一整個下午，實地預習背誦導覽腹稿，走到預定行程路線，看到預計導覽的作品，便立即在作品前腹語（用肚子構思組織說話內容多次），確認能一次流利順暢的講完想表達的導覽內容，並在紀錄紙上註明作品卡資訊、關鍵詞，開列需要查詢的圖書資料、製作教具、彩色圖稿列印等對應清單，方離開移至下一件作品再重複以上步驟。如此準備 20 件左右的聾導覽物件動線紀錄資料（圖 9-1），再回家依序進行資料查詢及教具製作等前置準備，筆者會準備好一本可放 40 張圖片的 20 頁 A4 資料簿，裝彩色圖稿列印紙本檔，再連同實物道具、自製教具和圖書資料一起放入大型手提袋。待聾導覽活動當天中午時，提早拎袋出門去美術館，因為裝滿兩大袋的東西實在太多了，有時需要商請助手幫忙提袋子。

聾導覽實務經驗分享

一、引導觀眾分享童年記憶

在聾導覽上，首先，要注意與觀眾的交流與互動。以 2020 年 7 月 19 日

聲導覽為例，解說 109 年全國美術展油畫類入選作品：潘嘉泠〈記憶儲存槽_20-01〉，我特別指著，刻意畫得扁平之一扇紅磚古厝後頭種的數株檳榔樹，上面用繩子掛著繽紛多彩的三角旗若干，問圍繞觀眾們，它們代表什麼？我內心預設答案是「童年回憶」，不料一位帶著小女兒的年輕媽媽答腔：麻雀叫聲，我一聽先是一怔，繼而高興應聲道：「答對了！來，給一個小獎品」。隨後立即補充解釋：這位觀眾回答的是小時候聆聽麻雀鳥叫聲的聽覺經驗，也算是童年記憶，而且鳥叫聲也有旋律節奏，屬於音色，這一點跟三角旗色彩繽紛的特徵很像。這位母女檔觀眾的回答，令我聯想起自己小時候，在家鄉廟埕滿地追逐正啄食陽光曝曬過的農作物之無數隻小麻雀的童年印象；的確，不論聲聽，出現在小時候成長環境的常見麻雀，都是童年回憶的一部份拼圖，也是共同的生活經驗。

　　2020 年 8 月 23 日進行中華民國第 19 屆國際版畫雙年展評審團特別獎作品之聲導覽：選擇齊山努波・浦雷弗拉齊庫〈奧茲曼迪亞斯〉之解說，其畫面下部，船舶周遭無數海浪間藏著鯨魚、鯊魚，又有巨大烏賊伸展龐大觸角捲住船舷。我一一指著牠們，詢問觀眾們，代表什麼意義？有一位帶著小女兒來的年輕母親答對了謎底：歐洲海底大怪物！重點是她明確說對了典故淵源地：歐洲。昔日大航海時代，歐洲沿海各國紛紛派帆船橫渡大西洋企圖尋求新大陸資源，期間技術條件不足、無法掌握天候變化等無可預期的種種因素，導致失敗沉船、厄運連連……面對詭譎多舛且深不可測的黑暗茫茫大海，使人莫名恐懼，澎湃洶湧海浪間，會不會突然鑽出巨大怪物，襲擊船身將人捲入海水中，一再重演有去無回的慘劇——實為當時歐洲人民的一大夢魘。當時筆者詢問對方如何知曉？觀眾回答自己大學有念過歷史，從西洋文學相關書籍閱讀得知。我回應道：我也是從書上得知的，並拿出一大本精裝書：讀者文摘《瀛寰搜奇》，翻出封面繪圖與內文插圖給大家看，以加深觀眾們的參觀印象。

　　我所解說的知識內容，來自從小大量閱讀的圖書資源，如讀者文摘《瀛寰搜奇》、東方出版社《白鯨記》等書。從書中世界獲知的各種世界知識，不僅譜出美好愉快的童年記憶，更成為現今導覽解說的背景知識來源。同時，筆者與觀眾們分享自身的閱讀心得與想法，共享昔日童年的學習痕跡及生活經驗。

　　黃淑真（2020）提及，我們從小閱讀的童書及青少年讀物等課外書，可以提供往後學習成長的養分，其中涵蓋日後生活中會遇到的議題，可幫助孩子們建構理解外在世界的橋樑，讓其提早預見並因應未來生涯裡各式各樣的事物。

以筆者的自身經驗為例，從小翻閱過的大量書籍，成為日後從事聲導覽的重要養分。總結而言，從事聲導覽，與其單向介紹解說藝術展覽內涵給觀眾知曉，不如與觀眾們分享彼此的童年記憶、生活經驗還有閱讀學習心得，教學相長，透過雙向互動對話而增進彼此的學習與素養。

二、視覺優勢學習導向

其次，導覽要運用觀眾的視覺優勢為導向來進行，茲以 2019 年 1 月 27 日「野根莖— 2018 臺灣美術雙年展」中聲導覽解說過的 3 項作品為例，說明如何運用視覺優勢學習模式來協助聲導覽解說工作。

（一）提供視覺性線索

筆者介紹說明林純用的〈鯤鯓的擱淺與死亡〉作品時，可運用放 40 張圖片的 20 頁 A4 資料簿呈現具象圖片、用鋁製畫架支撐的掛紙板書寫關鍵詞文字，描述鯤鯓地名由來與類似巨鯨的地貌形象，促使觀眾感知作品表現題材：垂死的鯨魚之具體形象與指稱對象，進而產生有意義的連結（圖 9-2）。

接著導覽路線走到李俊陽的〈七彩迷魂妙〉系列作品展場時，筆者高舉從夜市買來的小小足底按摩拖鞋握在手中，讓觀眾觀看，同背後的大型作品展覽作比較，如其造型、色彩排列、圖案安排、用途等，給予觀眾鮮明有力、具體可意會的視覺意象；透過與作品相似的實物比較方式，來建構觀眾對新作品的認識與概念（圖 9-3）。

（二）依作品表現特性自製視覺化教具

蘇予昕的〈河流摺，樹林邊緣〉作品，畫面結構採用空間摺疊壓縮的處理手法。筆者身為有 20 年資歷的學校教師，發揮多年自製教材教具的備課功夫，親自製作教具——從美術教學剩餘的紙材中，揀取長條狀厚紙，親自塗繪成中間長長一條小河的地景圖。然後當導覽行程來到該作品掛牆，緩緩地從手提袋掏出薄薄一張長條紙，先攤開給觀眾們圍觀，接著慢慢摺紙摺很多階，從頭尾兩端往中間處壓縮，此方式相當程度地重製了如作品畫面所示的空間摺疊視覺效果（圖 9-4），示範操作過程的視覺前後變化給觀眾留下十分深刻的學習印象，進而瞭解創作者的空間處理手法與畫面結

圖 9-2
資料簿圖片與掛紙板
書寫文字呈現方式

圖 9-3
實物比較方式

圖 9-4
自製教具呈現方式

構。

（三）降低主流口語文字不利資訊接受的阻礙

　　當初一接到任務通知，2019 年聾導覽 要介紹的展覽主題是「共時的星叢：『風車詩社』與跨界域藝術時代」。初次實地勘查就是一道大難題，展場中白底黑字且充滿抽象意味的文字牆，對聾觀眾來說是閱讀理解的艱鉅挑戰，形成參觀意願阻礙。還有另一問題是，它著重臺灣新詩過去百年來歷史演變與本土文學方面的語文論述，這恰恰是過去課堂中學習中國歷史及西洋藝術等主流教科書的筆者不太熟諳的學問領域——臺灣本土學。為了準備這次難度奇高的聾導覽，那年暑假前後一共跑了國美館五趟，花費無數個下午時光泡在展覽室苦思冥想，還特地上網搜尋相關資料，找到楊宗翰（2012）博士論文《臺灣新詩評論轉型研究》，認認真真的拜讀多次，試圖了解臺灣新詩本土發展的來龍去脈與歷史文化脈絡，再依據閱後腦中產生的初步概念與認知基模，構思介紹的觀念重點，再一一上網搜尋相關圖案，跑圖書館翻閱相關書籍，找到符合解說需求的視覺圖片電子檔案彩印出來，若有相關插畫圖片的紙本圖書則借閱。那天下午聾導覽我帶了滿滿兩大袋資料，皆為紙本圖書，及裝滿彩色列印圖片的紙本稿資料簿；盡可能運用大量視覺性線索，來幫助解說那一大片又一大片文字牆所傳遞的知識訊息。

　　導覽一開始，筆者於入口展牆開宗明旨的解說風車詩社的取名緣由與理想目標，並呈現紙風車與荷蘭背景的風車磨坊兩張彩色圖片，問觀眾們認為詩社名字的「風車」意象，接近那一張圖像？再詢問他所選擇的圖片有何涵意？最後我公布答案，是後者，因為創社者楊熾昌路過臺南鹽分地帶（七股、北門），頗嚮往當地風車景色，認為當時本土文壇需要吹吹新鮮空氣。藉由視覺圖像，讓觀眾在腦海中對抽象文字產生鮮明生動的具體想像，並形成文字與圖像的意義連結：會持續轉動且不間斷地帶來一股股清新風氣的傳統風車。

　　接著，運用「唐吉訶德」小說封面插圖向觀眾說明：自詡為騎士的這位主角，奮不顧身對抗旋轉風車，儘管遭到身邊的人和時代潮流譏諷愚弄，仍然毫不退縮，始終堅持自己的理念態度，維護他心目中的騎士精神形象，為社會伸張公義，其封面的風車代表了他堅持到底，奮鬥不懈的騎士理想目標——只要風車一直轉個不停，他也迎接大風奮戰到底。連接上述譬喻，

話題便轉到日治時期成立的這一本土文學團體，提及創社目標在於對封建保守的傳統社會進行知性批判，帶進源自西方世界的各種藝術新潮流如前衛藝術、超現實主義、立體派等實驗性技法，深化並擴大本土新詩表現範疇境界，就像運轉不停的傳統風車輸送新鮮風潮，一舉吹散了舊作風習氣，擴充並強化了用鼻息呼吸空氣，用身體感受風吹的大家的美學體驗。

透過「風車」在唐吉訶德小說情節與風車詩社取名典故中各自代表的概念與意象，促使觀眾將抽象的文字具象化，從中領略風車詩社的深遠理念與目標，讓觀眾產生共鳴與同理心，強化學習印象，同時玩賞回味不已，餘韻無窮（圖9-5）。

有一點原則須留意的是，面對繁雜文字段落，不能單純粹用手語來解釋，甚至翻譯文字內容，那樣會很枯燥乏味，令觀者失去意願及興趣。最好依據文字內容找出解說切入點，去搜集符合導覽要求的視覺性線索，如影像照片、印刷圖卡、實物道具等，再透過手語解說一一呈現，幫助觀者將手語詮釋內容「畫面化」，並連結其過去視覺經驗及新知識內容，強化學習印象——這就是為什麼要強調高度運用視覺性線索，並降低口語文字難度的重要性，當聾觀眾不能從偏向聽覺性線索的展覽說明文字內容吸取資

圖9-5　以視覺教具輔助，解說抽象的文字概念：借用「唐吉訶德」小說封面插圖之風車意象與故事主角生活經驗，闡述風車詩社的理念目標

訊，須考慮適度導入各種視覺影像、實物道具等，盡可能提供豐富的視覺性線索，幫助其透過具體物象經驗（舊知識）來連結展覽物件所傳遞的抽象訊息，獲得其中蘊含的新知識，拓展原本不足的生活經驗，增廣疊高認知基模。

另外，連結同理心也很重要。當天導覽時，筆者想讓觀眾們深深體會到活在新舊交迭，青黃不接的時代裂縫之臺灣本土詩人還有很多本地人被迫棄用日文，重新學習中文，來適應新時代需要的箇中滋味，五味雜陳與苦悶無奈的心情。於是我將反映了當時時代悲涼的文字紀錄，以手語敘述轉達給觀眾，讓觀眾理解，展牆列出的中文新詩，旁註作者姓名的臺灣詩人，都是自學中文成功，才能寫出中文新詩流傳後世，而不熟諳漢語的作家都須重新學習中文。筆者運用同理心與心理投射等心理反應作用，來讓觀眾連結那個時代的社會人文背景脈絡與語言政策風向，得曉當時臺灣本土詩人的種種掙扎奮鬥，為他們藝文生命找到一條出路，不禁令人油然而生敬佩之心。

聽障族群本國語文識字理解程度普遍不佳，此乃世界各國皆同的教育問題。因書面文字閱讀理解能力奠基於口語音韻系統，先有口語聽說先天能力（語言本能）的發展成熟，才能透過字音、字形、字義的連結來學習書面文字，將習得的口語印象轉移到印刷文字讀寫訓練上，繼續後天發展識讀及書寫能力；對缺乏聽覺感知能力與口語習得經驗的聽障孩子來說，學習本國語文的難度相當後天學習第二語言或外國語言，學習過程倍嘗艱辛，吃力不討好。因此，除了手語導覽之外，如何提供易讀服務，讓自行參觀的聾夥伴們，也能輕鬆理解展覽內容，也是很重要的。

（四）為愛好攝影的聾觀眾客製化的服務

2019 年 7 月 19 日聾導覽主題是 108 年全國美術展，那天下午解說完畢之際，突然有一位聾老觀眾舉手發問，說他自己喜歡拍照，常常觀賞攝影展覽，但這次有一幅攝影作品令他疑惑不解，搞不懂到底玩啥把戲？請他帶我們過去令他費解不已的作品掛牆，一看原來是攝影類入選作品：陳彥呈〈BLACK SEA － DAY1〉。它呈現方式為 6×5 共 30 塊黑底方格，每塊黑色方格與鄰格都隔開一定距離成白色十字交叉線條。他看不懂為何把一大堆烏漆墨黑的照片底紙排成類似巧克力塊狀的組合，且照片沒有拍到什麼東西，全都黑漆漆一大片的，這跟他的攝影認知（拍照一定有拍到東西，有

完整的圖像結構）完全不同。

　　我觀察了一會兒，對這位觀眾還有隨同前來圍觀的觀眾解說，這種黑色方格的排列組合，叫「赫曼方格」；印刷到白紙上，當你注目凝視黑色方格之間的某一白色空間，會覺得其他白色交叉線條出現灰點，這叫「視錯覺」。接著，我引導聾老觀眾站在作品掛牆前面，各從左、中、右不同視角觀察，特別是要側光看過去，會發現照片表面肌理有凹凸起伏及細滑粗糙的質感。從作品肌理的微妙變化，進一步細細檢視隱約可見的外形勾勒線條，可以發掘原來這幅作品是在不同時間點，多次定點拍攝某一海陸交接地界的自然地貌，如潮汐線的前進後退、芒草叢順風逆風的起伏角度……或許是想表達世事無常的萬千感慨。作品肌理的微妙變化運用銀鹽處理技巧，在底紙做出各種不同的質感，將不同時間點拍攝到的地貌變幻紀錄下來，營造出作者想要表達的想法。作品之所以全黑一大片，是想提醒觀者不要被表面視覺圖像與視覺成像技巧綁住，而要試著從不同角度觀察並思考事物的本質，如這幅作品中的表面肌理變化，從正面看是看不出來的，要從左右兩側處，側光看過去才能察覺到箇中奧妙，進而發現原來作品欲表現自然地貌的不同時間變化。這位觀眾在我的引導之下，實際從不同角度觀察作品，果真發現了其中謎底，獲得新知，心中有說不出的高興，對我比手語道謝。

　　往後每次聾導覽這位觀眾都熱烈捧場，每場必到；我也特別挑選一些攝影作品題材，為他仔細解說，好滿足他的攝影求知欲，這就是替忠實觀眾「客製化」服務的好處，而且其他觀眾也受益。他也常常將拍攝臺中市本土勝景、地標建物等照片電子檔，用通訊軟體與我分享，成就一段很美好的聾導覽緣份。

（五）播植未來幸福種子的親子觀眾

　　筆者對親子觀眾的印象也非常深刻。這些往往由母親帶領的親子觀眾，不僅親自帶領孩子進館參觀，還懂得機會教育。如一次導覽中，正要說明作品時，筆者特別低頭詢問一位小女孩，妳在畫面上看到什麼東西？在旁的年輕媽媽給予提示，鼓勵她親生女兒回答。另外，有一次在館內一樓大廳橫椅上準備導覽時，一位抱著小女孩的年輕媽媽也過來，在旁靜靜看著我埋首準備的模樣。感覺上這位年輕媽媽在對她親生女兒做機會教育，觀察身為聾導覽員的我在做什麼準備，接下來要進行怎麼樣的導覽活動？觀察成人從事實際操作的種種過程，對小孩子來說是鷹架支持的學習機會。接著，在聾導覽中答對問題的觀眾，

同樣也是帶著小女孩的另一位年輕母親！

　　透過家人的鼓勵，孩子有機會親近與接觸各種藝文活動，在潛移默化之下，成為經常性觀眾，盡情享受各種文化資源。想當年筆者也是在家父的支持與鼓勵下，頻繁參觀博物館，長久以來的習慣養成，使我長大成人後持續進館參觀，吸收藝文展覽資訊，更進一步成為聾導覽員。因此，每每遇見攜子帶幼進館參訪的年輕父母，總會聯想起童年時光的種種事跡，心中著實甜蜜無比；當初家父親手種下去的種子，已經茁壯長大並結果纍纍。期待未來在館內看見更多親子觀眾，一同在館內享受欣賞藝術的樂趣。

聾聽共享：觀眾回饋與省思

　　由聾人來進行解說的導覽服務，與其他手語翻譯導覽服務有何不同？2018 年 8 月 26 日聾導覽，獲公視聽聽看手語節目專程錄影訪問（第 882 集），以下依序為館員、聽人觀眾及聾觀眾對聾導覽的想法（依錄影時間前後排序）：

　　館員：「（由聾導覽員來做導覽）……我發現說，同樣的聾人朋友的反應卻是熱絡的，就好像他們的圈子裡是有一個他們懂的語彙跟默契，跟成長背景。」

　　聽人觀眾：「我們（聽人）可以藉由聲音，就是去聽到這些東西，就是我們可能不會很深入的去用看的，然後用聽的。但是聾人的話，他們可能就是會用很多肢體語言，然後去表現出對這一幅畫的感覺，所以由整個身體去感受這一幅畫，所以我覺得比較不一樣的地方是這樣。」

　　聾觀眾：「（導覽員）本身是聾人，比較知道聾人的需求是什麼，比方說他用自然手語解說，就讓我們容易理解。聽人比較不了解聾人吸收資訊的方式，我覺得聾人導覽員比較好，比較能貼近聾人的心情。」

　　由以上訪談記錄可得知，聾人接受外在資訊與學習方式著重於身體的多種感官經驗，不同於聽人偏重聽說及口語聲音的單一模式，母語與溝通方式也側重視覺語言——自然手語加上豐富的視覺性線索如肢體動作。同時，其成長背景、文化環境接觸與心理需求也與聽人主流世界有所差異。由聾

人來擔綱解說的聾導覽服務，比較能契合服務對象的溝通習慣與認知思維，貼近其心理需求，進而產生較佳的互動交流，有助提供更周全及客製化的服務品質，給予聾觀眾更多愉悅的導覽經驗。

　　筆者至今從事國美館 8 場聾導覽，最真實深刻的體悟與感受，在於美術館本身的藝術特性，及其專業知識門檻較高，且展覽主題多元，在導覽準備上挑戰極大，不同於一次性且內容可以重複雷同的聾導覽。國美館手語翻譯導覽主題每次都不同，營造各種新鮮有趣的導覽經驗，才能源源不斷地培養出一批忠實聾觀眾，例如替那位愛好攝影的聾老觀眾客製化服務，在導覽中刻意放入攝影作品，且每場解說的攝影作品種類各異，提供豐富的藝術刺激，累積不同的經驗，促進目標觀眾進館參觀及持續學習的意願。

　　美術館展覽類型多元且不時更換，從事導覽所需的背景知識與任務困難度極大（林姿吟，2007），筆者認為只有在學校進行美術教學、藝術表現創作等領域從事多年的工作者或藝術熱愛者等，方能勝任這類藝術導覽，而當中足以堪任的聾人更為稀少──係因於導覽對於文字理解能力門檻要求高，對聾人而言更具挑戰；不論是參閱書籍、上網搜尋導覽相關的文字及圖片資料，或是了解展覽的背景知識，都需要文字閱讀能力。然而，在過往一般學校教育中，傳統口述的講課教學模式，使得喪失聽知覺功能的聾生學習效果不彰。對聾人而言，透過視覺語言──自然手語來吸收藝術資訊的管道相當少，筆者也僅僅藉由國美館每月固定提供一次的手語翻譯導覽服務活動，來獲得藝術知識。還是得靠從小培養的大量閱讀習慣與一般學校體系課堂自學工夫態度，方有足夠的背景知識從事聾導覽工作。

　　因從事聾導覽準備工作需要大量接收各種文字訊息，對於以自然手語媒介傳遞資訊的導覽解說人才需求更大，如精通手語且會手語教學的聾老師、課堂教學手語翻譯員，除此之外，導覽員需具備個人自學態度。林姿吟（2007）明確指出，聽人導覽員想獲取專業知識，以助專業發展，除了課堂聽講學習，團體協同成長以外，還要個人持續學習成長，而個人學習的前提是必須擁有文字閱讀自學能力。實務層面，從事聾導覽者往往必須具備比服務對象的聾觀眾，擁有較高的文字能力，方能應付各種有關展覽文字內容的提問，如說明展牆文字內容及標題文字含義等。而美術館的聾導覽所需藝術專業知識門檻更高，無法透過母語為手語的聾父母、認識的聾朋友、各地活動聘請的手語翻譯員等管道獲致，因他們不一定具備相關知識。也就是說，從事美術館聾導覽工作，需

有接近同齡聽人的文字水準與良好的自學態度，甚至要具備相關專業領域的美術教學、藝術創作等工作資歷，才能駕馭自如。

雖然展覽內涵知識不分聾聽，且想享受聾導覽服務之任何人，無論聾聽都來者不拒，然而參與聾導覽的聾觀眾為數不多，筆者依多年接觸聾生、聾成人的經驗，分析可能因素如下：

一、聾觀眾人口基數少

新生兒當中出現聽損比例僅千分之三，聾人在聽人主流世界裡為稀有族群。內政部 2020 年全臺人口統計，持有聽覺障礙證明者總人數近 12 萬 5 千，而先天失聰僅 1 萬 2 千人，即有很高比例為後天失聰、老年重聽等後天因素。是故聾人族群本身人口基數極少，而當中有美術嗜好或從小進館參觀的藝術愛好者乃少數中之少數，且居住分散各地，不見得容易親近使用美術館。

二、早期美術館經驗不足

林泱秀（2004）指出，國小學童大多依靠父母或學校教師陪同參觀美術館，且多為偶發性、假日休閒與校外參觀等。而多數聾人早期經驗均不曾參觀美術館，從小就缺乏培養參觀興趣的環境，長大成人後自然成為美術館的絕緣體（陳詩翰，2013）。

三、生活經驗相對較為貧乏

自出生就失聰的聽損兒，倘若從小未早期介入，無法從聽人父母家庭正常習得母語，跟父母親人之間缺乏有效的溝通模式管道，即無法像一般聽童，透過成人聽語聲音的解說引導來理解及搭建學習鷹架，來建構對外在世界的認知，對於形塑累積生活經驗困難，影響其語言與認知發展，而致成年後學識能力水準落後聽人甚多。而美術館展覽作品，係藝創作者從自身漫長人生的豐富生活經驗中提煉出的精華，跟聾觀眾本身相當有限的生活經驗形成很大的距離；故聾觀眾無法理解並連結到自身生活經驗，間接影響參觀意願。其實，也可以反過來思考，正因為聾人本身生活經驗貧乏不足，而美術館、博物館等森羅萬象，琳瑯滿目的館藏加上適合聾觀眾的解說方式，正好可以充實與拓展聾觀眾的各種經驗。

四、艱深的展覽文字形成參觀阻礙

如前所述，聽障族群本國語文識字理解程度普遍不佳，因此較不願意親近含有文字成分的展覽，然而美術館展場到處可見一大塊文字牆，甚至整個展牆都爬滿了艱深的文字，這構成一道阻礙，大幅度地減弱了本身文字能力不理想的聾人進館參觀的意願。所以針對聾觀眾規劃的服務，除了導入手語導覽之外，也要提供易讀服務，降低書面文字內容難度，讓個別入館參觀的聾人，也能輕鬆理解展覽內容，增進參觀心情的愉悅享受。

五、聽障族群的群集性

聽障族群與其他身心障礙類別群體最大差別處，在於聽障族群擁有聾人文化、只限族群內溝通的視覺語言（手語）。同時他們更具有其他類別身心障礙群體所沒有的團結特性：群集性。意指每次有針對生活需求的活動，如就業輔導、休閒娛樂等，往往都以團體為單位集體行動，因為具有相同溝通模式的夥伴們，便於互動交流，以達成共同目標。既然是採取集體行動，往往以參與者的共同興趣嗜好與一致目標方向為最大公約數，從「眾」從「俗」為主，而美術館參觀行為則屬於從「菁」（英）從「雅」，且文字知識門檻高，故不易作為聾人群集性理想目標選項。聾導覽每次參與的聾觀眾大多為個別觀眾，且有些觀眾遠從臺北、雲林、高雄等地不遠千里而來，其往往附帶目的：（一）前來取經，觀摩聾導覽流程作法，供日後從事聾導覽任務參考用；（二）來臺中遊玩，順便來國美館享受聾導覽服務。這些也就難以成為經常性觀眾。其實國美館的經常性聾觀眾為數不多，只有個別聾觀眾才有可能發展成經常性觀眾，要尋覓可以經常地固定時間群集性進館參觀的聾人特定團體實屬困難。

六、聽障族群內部異質性大

聽障族群內部其實並沒有絕對的一致性特質，相反地異質性甚大，意即什麼樣個性特質的人都有，不能同一而論（張蓓莉，2003）。聽障族群內部使用的語言差異也大，可以細分口（唇）語族、口手並用族、手語族，甚至也有無語族（任何語言都不會，連手語也沒學過），這對以聾觀眾為服務對象的導覽工作來說是很大的挑戰，因為導覽解說採用的目標語言只能選擇其中一項，服務某一特定語言習慣對象。

如以唇語為主，不會手語的聾觀眾，美術館如何為其服務？筆者以從事聾

導覽的實務經驗，並參考聾人心理認知的文獻，建議館方以個人自我認知與資訊接受優勢管道為主要考量。美術館儘可能提供各種不同語言的導覽服務，如聾手語導覽、一般口語導覽等，或者採雙語搭配併陳方式，聾導覽員以手語解說，搭配手語翻譯員口譯，或聽人導覽員口頭解說，搭配手語翻譯員手譯；讓口語、手語同時呈現給唇語族聾觀眾，然後由他們自主依照他的文化歸屬（聾人文化、聽人文化）及對他有利的資訊接受管道（手語、口語）來選擇最為合適的導覽模式。

結論：朝向友善平權的聾導覽

　　總結來說，館方規劃聾導覽服務時，必須多方考量聽障族群內部的多元需求。例如，美術館可以利用聽障族群的「群集性」來吸引潛在的聾觀眾進館參觀，並與啟聰學校、聾人社群團體及服務聾人的社會機構合作，事先安排好手語導覽服務行程，並請合作團體的領導人協助宣傳，透過組織人脈關係，邀請聾人成員們共同進館參觀，並營造美好愉悅的參觀經驗，促進其回訪參觀的意願。如國美館為促進聽障學生的文化近用，開拓聾校學生客源，與臺中市立啟聰學校合作，邀請該校啟聰班級聽障學生，由導師、任課教師等人帶領進館接受「攜手 譯藝非凡」的手語翻譯導覽服務，作 校外參觀活動，落實聽障學生的藝術教育。

　　除此之外，聽人觀眾出奇增多，大部份是當天進館遊憩之偶發性觀眾，他們發現口譯導覽過程中不斷秀出實物道具與視覺圖片，加上豐富的表情動作，而覺得非常有趣，遂靠過來加入導覽團體，一起享受館內提供的聾導覽服務。聾聽一室，同樂共融也多虧了手語翻譯資歷的學校退休同仁自告奮勇協助口譯工作，幫助聽眾們順利分享我手語解說的資訊，在此謹表萬分謝意。

　　另外，筆者發現加入聾導覽隊伍的觀眾素質越來越高，他們熟悉的知識範疇較一般人高，大多擁有大學、研究所學歷，具高求知欲與探索精神。而身為聾導覽員的我，在某方面知識領域涉獵的並不比觀眾多，僅有的優勢是美術專長以及藝術教育、聾教育知能的背景。美術所學專長，能讓我從畫面線索中解說藝術創作表現技法、形色線條肌理的組合變化與背後的隱喻及象徵意義，或是藝術創作者透過畫面企圖表達的自我詮釋或概念，並讓觀眾連結到他們既有的生活舊經驗，產生新的想法。

　　結合藝術教育、聾教育等教學知能經驗，有助從事聾導覽面對聾觀眾的思想準備與因應作法（依個別需求提供客製化服務），比較容易進入狀況，做起來得心應手多了。例如從以往教學經歷與聽障學生學習血淚心路歷程，已知口語、板書文字等單一管道灌輸資訊方式，不利聾生學習吸收，所以從其視覺優勢學習與視覺語言溝通管道著手，盡可能搜尋、準備各種視覺性線索，透過手語解說並夾帶豐富的表情動作，來幫助聾觀眾藉由雙眼視覺還有多感官管道來接受各式各樣的導覽資訊，更加易於理解、消化，內化為自己的知識結構，拓展較聽人不足的生活經驗；而參與到聾導覽的聽人觀眾也能雨露均霑，平等分享導覽資訊──這就是聾導覽的積極價值與平權貢獻：既可以為聾觀眾客製化服務，滿足個別需求，同時也能讓聽人觀眾共同參與，均等分享，且促使他們意識到聾人的社會存在與不容忽視，有其自主尊嚴與平權訴求，進而多瞭解並學習如何與其互動相處，進一步營造聾聽共融共好的社會環境。

致謝：

感謝美術館「攜手‧譯藝非凡」導覽活動相關人員如吳麗娟助理研究員、導覽志工如祁俞等人、手語翻譯員如王興嬌、張洙華、張郁等人；聾聽觀眾如靜宜大學手語社、中部各大學友校手語社、臺中市愛心家園手語研習班學員、服務學校聾聽同事與畢業校友、中部聾人團體組織成員、研究所大學國中等同學、父母家人堂姐妹親戚等，因為有你們大家的參與與支持，讓站在生命舞臺上的本人，得此充分發揮所學所長，介紹解說更多豐富的前輩藝術創作者智慧的結晶與傑作之表現內涵。

參考文獻

林決秀，2004。國小兒童美術館參觀經驗之研究。國立新竹教育大學美勞教育學系碩士班碩士論文。

林姿吟，2007。臺北市立美術館導覽義工實務經驗與專業發展之研究。國立臺灣師範大學美術學系碩士論文。

林寶貴、錡寶香，1990。聽覺障礙學生升學輔導與安置措施之研究，特殊教育叢書，74：1-163。

教育部，1988。民國七十七年臺灣地區特殊學校辦理績效評鑑報告。

陳詩翰，2013。成年聾人美術館參訪經驗的困境與對策。國立彰化師範大學美術學系藝術教育碩士班碩士論文。

張蓓莉，2003。聽覺障礙學生學習特質與需求，聽障教育期刊，2：7-17。臺北市聽障教育資源中心。

黃淑真，2020。低消，就是為孩子讀一本書，《閱：文學》臺灣文學館通訊，69：6-9。

楊宗翰，2012。臺灣新詩評論轉型研究。佛光大學文學系博士論文。

精神疾病經驗者的文化：策展實務與反思
廖福源、吳家琪

前言

近幾年因為一些社會事件加深社會大眾對精神病人的歧視，我和伊甸基金會活泉之家的工作夥伴在媒體上投書，從投書底下的留言及反應，清楚看見許多社會大眾的誤解與偏見，造成社會隔離與排除，而民眾最大的情緒是恐懼，恐懼裡投射出的精神病人是很破碎的描述與認識。本文談論的不是病症的認識，而是作為一個精神疾病經驗者的病痛與生命；再從文化平權的視角切入，肯認及建構精神疾病經驗者為一個族群的文化主體，而不單只是一個個生病且孤立的個體時，這會形成什麼樣的社會資產及社會改變；當藝術與精神病人相遇時，容易自動地被以藝術治療代入，但我們組織精神疾病經驗者的社群進行策展的行動，是希望作為一個平台，使精神疾病經驗者以藝術與社會溝通與對話，以內在聲音發聲、生活處境為出發，讓社會大眾感受到社會受苦經驗的連結與共鳴，進而發生同理的力量，讓社會生存的條件可以有更好的改變，或許我們不相同，也能無礙的共同生活著。

汙名造成歧視與排除，無法讓我們理解他們

我先說一個精神疾病經驗者如何用創作揪住我這個社會工作者的心。

暮色沉沉　霧鎖大地

忽然間風雲變色　龍捲而起　拔樹倒屋　滿地狼藉

將我颳至聖母峰頂

觸目所及　皚皚一片　人跡罕至　鳥獸全無

驚恐的雙眸　顫抖的身軀

無助的等待死神的召喚

圖 10-1
會員 Peter 於
藝術教育工作
者培力課程的
藝術創作

　　這是我們會員 Peter**¹** 寫的一首詩，他把詩的心境呈現在一個四方形立體紙盒，成為一個很有體驗感的創作。這創作在表達一名精神疾病經驗者的心聲：即使你願意來靠近我，要先通過獨木橋，然後要想辦法游過護城河，好不容易過了護城河，會遭遇更高聳的城牆。我們想要去靠近他，就得越過這些重重的圍籬，即使千辛萬苦爬上了城牆，用盡了心力，以為相當靠近他了，可是打開盒子後才發現，他在冰天雪地之中孤獨的活著，即便我們嘴上說，願意去陪伴他，但是我們真的敢靠近那樣的凜冽嗎？我們會不會因為害怕及退却，反而使他更加失落呢？

　　從 Peter 的創作裡，我才發現，原來他心裡有個我根本不知道、難以靠近的地方，即使我們已經認識 10 多年了，我以為我夠瞭解他，原來只是表面，我沒有進入他更深層的內心，即使有機會深入，我準備好了嗎？我敢嗎？或者我要

1　在活泉之家，我們稱呼精神疾病經驗者為「會員」，而不是精神病人，他們不僅僅是被幫助者，而是社群的參與者與貢獻者，是積極性的社會角色。

進去嗎？又或者我們能夠承擔嗎？需要什麼樣的條件才能承擔或陪伴，這是我在思考的。我震撼的是，我感知到我的限制，卻又痛苦於他與人的關係是這樣的孤寂。

　　當我欣賞著 Peter 的創作，我開始試著跳脫助人工作中我們之間的關係，我不再是解決他困境的社工，我們之間形成生命經驗的共同連結，讓我省思著自身與他人的關係，是否也存在著這樣的脆弱與恐懼；是的，他創作出一個跟我具有內在連結的世界。於是我思考著，這不是作為一個生病的人才有的困境或生存狀態，如果在藝術創作中的「文化符號」取代了「疾病症狀」的這種命名，製造了一個空間，讓我們去經驗到某一種人在生活裡共有的願望，這遠比精神疾病在社會裡被定義為某種病症而形成被社會排除的異常，更容易觸摸到精神疾病經驗者生命的「情感世界」及「精神狀態」。所有的生命經驗裡藏著巨大的寶藏：一個真實的世界，他們把自己最裡面的部份挖了出來，透過藝術創作赤裸地說出來，我們才得以理解，其實他們所受的苦，也可能是我們曾經或正經歷的苦，而這正是需要人們去思考的生存世界，受苦與前進同時並進，這也促成我後來最喜歡說的一句話：「聽懂精神病人的受苦，是社會進步的基礎。」

跟著他們生命的挫折，孵化出「藝術教育工作者培力」計劃

　　筆者長久以來看見某些精神疾病經驗者在主流勞動市場競爭下，遍體鱗傷，仍難獲得一份穩定的工作。進一步來說，即使是身心障礙者職業重建的支持系統，仍反映著社會中普遍的勞動樣態，在勞動裡無法發展自身，也看不見自己在勞動裡的社會價值；勞動跟自己的生活經驗不相關，其動機只剩下生存所需。這樣的場景與氛圍逼迫著筆者思考：我們怎麼回歸他們的社會處境，思考他們擁有的特質、愛好與才華，如何展現在工作之中，同時讓勞動和人際、社會、生命相互結合，創造出新的勞動樣態？因此2015 年，我們發想「藝術教育工作者培力」計劃，試圖創造另一種經濟生活的可能：在我們一個歷經多年的繪畫活動歷程中看見，精神疾病經驗者的繪畫意境，能引發我們內在對生命各個課題的思索與共鳴，這樣的連結可以產生社會溝通與對話的價值，因此我們希望結合各種藝術與社會對話的元素，讓精神疾病經驗者成為藝術教育工作者，擔任課程講師、開辦工作坊，甚至產出能獲得經濟收益的商品等，使勞動與他們自身生命經驗有

所連結,並對社會產生影響力,同時孵化出精神文化空間的基地。但回頭筆者思考的是,我們的計畫奠基於何種基本價值?要如何與市場上的藝術創作有所區別,而具有我們獨特的價值,並且跟群眾連結。

有沒有一種文化是「精神疾病經驗者的文化」

客家人有客家人的文化,原住民有原住民的文化,青少年有青少年的文化,各種族群都有自己的文化,可是回到精神病人這樣的群體,社會普遍討論的是污名對他們造成的影響,但是在很多的日常生活裡,他們有其獨特的世界觀及某種生存特質,我們也在他們身上學習,這使得我們開始思考,不以病症為符號,而是以群體文化為符號的話,他們的文化是什麼?於是我們開始探索這項議題,並且有意識的累積他們的文化資產。

圖 10-2
以文化模式,建構心理社會障礙者社群主體生成的觀點(筆者彙整各方觀點製成圖表)

臺灣社會對於身心障礙者，特別是心理社會障礙者（CRPD 國際身心障礙者權利公約不以精神病人或精神障礙者為名，而是稱為 psychosocial disability）是以醫療的視角看待，認為人的障礙是缺損的結果，並把障礙視為個人的問題，而忽略或缺少環境造成的障礙處境。聯合國世界衛生組織於 2001 年正式發表的「國際健康功能與身心障礙分類系統（International Classification of Functioning, Disability and Health，簡稱 ICF）」重新看待「身心障礙」的定義，不再將身心障礙僅侷限於個人的疾病及損傷，同時納入環境因素與障礙後的影響，重新定義障礙是：「沒有障礙的人，只有障礙的環境」（邱大昕，2011）。

心理社會障礙者時常被一般人視為「有缺陷」、「不正常」，跟其他所謂的正常人相比，因為疾病而缺少了某些能力，所以需要以「復健」恢復其能力。然而，我們對心理社會障礙者的想像，難道只能以「跟正常人相比，你缺少某些能力」，或是「你不是正常人，你比正常人差」的眼光來凝視呢？

我們想打破這種凝視心理社會障礙者的框架，並將人類各種精神狀態，視為展現不同的心智能力，肯定社會中多元性生存樣態的存在，是人與環境互動的過程，而不是「單一的正常」。心理社會障礙者的高敏感力，與為了適應社會而呈現的精神狀態相較而言，缺少了什麼？或是，為了適應社會該擁有了什麼？其實我們也沒有答案，但從藝術裡我們看見了新的詮釋可能；從另一個障礙視角也可以說明這一點。如同李奕萱（2018）指出，聾人文化強調「聾」是一種不同的人類體驗，聾人不是殘障者，而是一群使用手語的少數民族。如果，我們對於障礙有這些多元開放的認識與想像，就得以促成不同狀態的人共同生活，進一步發展出包融友善的社會。

那心理社會障礙者的文化模式是什麼呢？依著障礙者的主體，我們必須認識、尊重並學習他們的文化。要肯認不同群體之間的文化差異，首先要認識精神疾病經驗者的文化，然而在過去，他們在醫療或各種專業的視框裡被論述，現在我們要創造空間與資源讓他們建構自己的文化論述，而我們要做的是尊重他們的主體經驗，瞭解他們對生活的經驗知識及內在感知，並且理解這些生活經驗與社會互動如何形塑他們的世界觀與生活方式，我們要向他們學習，一起努力改變社會結構中壓迫或不適合他們的生存本質。我們是用這樣的信念在支持我們的想望：「總有一天，這社會生存的

樣態本質，可以適合所有的人」。

心理社會障礙者的「文化平權」

文化部網站定義文化平權為：「文化生活是人民的基本權利，國家必須積極確保人民的『文化近用』，不會因為身份、年齡、性別、地域、族群、身心障礙等原因產生落差。臺灣是個多元文化並陳的社會，在文化上，『肯認多元群體』之『文化差異』，使臺灣各族群能互相認識並了解彼此之差異，進而接納且欣賞不同文化所具有的差異，以避免各種形式的歧視與偏見。另於資源分配上，應追求有效及均等，使所有人都有均等的機會，也避免資源重疊而失去效用。」（中華民國文化部，2017）。

在過往，精神病人以疾病作為群體的分類，以治療者為主體去治療病人這個客體，在社會結構裡是治療性的關係，但在人權模式乃至於文化模式，看待心理社會障礙者這樣的群體，他們的特質、精神狀態與他們認知這世界的方式，有其獨特生活價值，這使筆者思考，他們會不會就是社會未發現的資產。當我們重新欣賞與肯認這樣的文化，可以避免歧視與社會排除的發生，但更重要的是促成資源的重新分配，不僅是從疾病及醫療的角度去思考資源的分配，更要檢視如其它文化群體得到的各種社會資源。

文化平權的賦權要怎麼做呢？

在賦權的過程中，筆者扮演的角色是組織者、合作者與促進者，不是專家或某某師。在許多社福機構中，服務使用者常稱呼社工為老師，然而在活泉之家，我們不稱老師，也不稱社工，而是以姓名相稱。

我們是協同合作的工作者，應以賦權對象為主體，去學習及認識他們的生命經驗、世界觀，並與其一起努力，而不只是鼓吹他們去做。工作者的技巧、利益或計畫不應強加在社區，而是成為社區的資源之一。工作者要介入什麼，應視社群的特殊性而定，而不是事先就決定要做什麼，並且將其套用在所有的情況。我們在籌備展覽的過程當中，工作者擁有行政資源，我們會協調、組織整個展覽所需的資源，但展覽的主題、內容、設計、輸出到佈置等，都期待跟會員一起完成。我們也盡可能用會員的眼光來詮釋或呈現他們的故事與經驗，

避免因不同專業介入而導致展覽不夠真實，無法呈現精神疾病經驗者（心理社會障礙者）的原始樣貌。我們透過一層又一層的會議，希望營造有安全感及歸屬感的環境，讓個人身心受苦或疾病的經驗能安心的述說，而不被評價斷言，或以疾病專業理論論定；這樣能夠自在表達的環境是最基礎的，同時組織出全體會議、組別會議、主題會議，儘可能讓會員一起討論、決策，這個過程其實就是讓過去被去權的心理社會障礙者，取回自我詮釋權與參與組織決策的權力，而筆者從專業工作者的姿態轉變成學習者，學習聆聽他們的聲音，並且與之連結，我們要成為他們的資源，創造更多的選擇與機會，然後一起決策，這也是身心障礙者權利公約很重要的一個精神：「沒有我們的參與，不要為我們做決定」。

可是，我們達成我們所說的理想了嗎？其實也還沒有，我們有不少失敗，像是我們也面臨效率、人員及展覽專業不足的困境，但仍要持續嘗試及從行動中累積經驗，並藉由本文與大家分享。

從精神疾病經驗者出發的策展行動

我們從 2012 年開始嘗試舉辦展覽，從 2017 年的「飛向你，非向我」、2018 年的「主體・組體：I am who I am」、2019 年的「貧窮人的臺北」系列展覽、一直到 2020 年的「精神病人的房間」。我們嘗試著讓精神疾病經驗者真實的故事跟經驗，有機會更廣泛的被大眾接觸跟理解，進而轉譯為可以跟社會大眾溝通對話的形式跟語言；期待他們能被更公平的對待，而非將有色的眼光及標籤施加在他們身上。

一、2017 年：飛向你，非向我

此次展覽用「蝴蝶」作為意象，精神疾病經驗者在生命歷程中的變化，例如蝴蝶帶著隱形但破碎的翅膀，在花園中尋找歸屬的意涵，慢慢的，我們發現原來每隻蝴蝶或多或少有著脆弱的部分，其實大家都是夥伴，而不用隱身於市。我們設計了三個展區，第一個互動區想告訴大家，我們覺得任何人，都有一個吞噬著自身的心魔，例如忌妒、比較等等，當他們越來越大，到無法控制時，就會導致我們生病。於此區邀請觀眾寫出自己的心魔，並在經過觀眾同意之下，用保鮮膜將其身體綑綁，象徵生病了，在逛

完整區後，可以選擇貼著心理諮商、家人支持、藥物等等多種糖果，選擇後就會被解開束縛，藉此讓觀眾感覺被心魔綑綁而不得動彈的感受；第二區是症狀體驗區，感受被幻聽干擾的感覺，嘗試靠近那個不易以言語說明的混亂狀態，在日常生活中無時無刻被症狀干擾，影響到當事人的程度可能是什麼；第三區是真人圖書館，會員化身成可供借閱的書籍，讓觀眾閱讀一本本關於精神疾病，但不只是精神疾病的生命故事，藉由直接的對話跟交流，期待破除刻板印象，讓真實的「人」的樣貌得以展現與連結。

二、2018 年：主體・組體：I am who I am

每個人不論生病於否，都應該擁有自己的主體性，但往往因為精神疾病，「個人」主體性不知不覺被忽略或弱化而只剩下病人的角色，而活泉之家希望大家都能找回自己的主體性，並且開始思考主體性是如何形成的，我們發現主體性源自於從小到大所認識的人與成長的環境，慢慢形塑組合而成，所以有主體・組體這個名字產生，這就是現在的我們。展覽一進場就讓觀眾戴上住院病人手環，試著用病人的角度參觀展覽，展覽共分為四區：「真人圖書館」讓會員跟觀眾交流生命故事；「畫話人生」呈現會員的圖文創作；「疾病經驗分享」此區試圖將半年多來小組談論關於愛情、工作、家人等主題整理成展覽文字，用社會或家人給予的期待，對照會員的真實想法來呈現；「映」播放會員們花費將近十個月共同編劇、拍攝完成的短片「暗等」，另有十多分鐘紀錄片則呈現會員們籌備短片的整個過程，試圖用另一種形式與視角真實地呈現精障者日常的樣貌。

三、2019 年成為「貧窮人的臺北」系列展覽參展團體之一

第一次與窮學盟合作，由於大多會員不曾碰觸過貧窮這個議題，所以便邀請窮學盟的人生百味，帶我們想像及探討貧窮，促使我們進一步思考，貧窮只有物質上的匱乏嗎？會員們討論出對於精神疾病經驗者而言，似乎貧窮更接近於心靈上的匱乏，例如覺得不被理解、覺得孤單，或是想要有知心的朋友或伴侶，而後我們將幾位會員很不容易被理解的想法或經驗，例如幻聽影響到無法專心工作，而被主管責罵；情緒起伏較大就被認為發病，要加藥。這些無法被了解的狀態跟困難，我們用圖文創作，將其背後真實的緣由呈現出來，放在「貧窮人的臺北」展覽中。

表 10-1　2017-2020 年活泉之家辦理展覽的相關資訊

	2017 年	2018 年	2019 年	2020 年
名稱	飛向你，非向我	主體‧組體： I am who I am	與窮學盟合辦： 貧窮人的臺北	精神病人的房間
地點	活泉之家	活泉之家	剝皮寮歷史街區 （參與其中一展區）	剝皮寮歷史街區
決策模式	大約兩週一次會議，展覽前的一個月每周一次會議，全員參加。	四區分組長，組長是一位工作人員、一位志工、一位會員。分為每月一次會議，由小組長主要參與，參與完會議再由組長落到各區有意願參與的會員一同討論。	大約兩週一次會議，展覽前的一個月每周一次會議，全員參加。	小展覽會議先討論出兩個概念，落到會員兩個日常小組做延伸討論，再回到小展覽會議確認主題。接下來，日常小組每周討論，每月一次展覽大會議分享各組進度，共同議題提出討論，例如：主視覺、特別邀請對象名單等等。
時程	半年前開始規劃	半年前開始規劃	3 個月前開始籌備	8 個月前開始規劃，中間因疫情休息一個月

藝術創作讓不同的精神狀態同時存在，富有涵容及想像力的空間

　　我們的展覽不是藝術治療，也不是在談美學，而是一種創作記錄與生命反映，在這個創作裡面可以一起思考的，不是獨屬於精神疾病經驗者的生命課題，而是透由他們，回到作為觀者的我們，有沒有什麼樣共有的經驗，像是在現實生活當中無法滿足的願望、需要的幻想空間、無法被人接受的脆弱、無法脫去面具的我，其實我們在談的不是病，而是生命裡各種受苦的百態與滋味。

　　我們選擇以藝術創作的方法來展出會員的經驗，用藝術的角度跟病理來看待精神疾病經驗者，有什麼不一樣呢？當精神疾病經驗者看到一個扭曲的人，會被視為一種妄想幻視的症狀，用病來看，那就是不真實的知覺，是需要被治療的；有位藝術家孟克也曾住在精神療養院，他有一幅被譽為曠世鉅作的作品「吶喊」，就是畫出一個扭曲變形的人，而這幅畫表達的是：將感受誠實而精準的表現出來，討論愛跟絕望是什麼？忌妒與孤獨的內在層面是什麼？創作提供的是生命的刻畫與探究，這時候藝術建構的空間就異於疾病的論述與建構，不以疾病分隔了人們的經驗，反而透由作品促使創作者跟觀者投射出對生命的感受與思考，我們得面對的是什麼？什麼經驗感受被作品給牽動了？以下以 2020 年於臺北剝皮寮展出的「精神病人的房間」為例，詳細說明我們的策展內涵與所要傳達的理念。

走入隱形的圍籬：精神病人的房間

　　相較於前幾年的展覽內涵，2020 年我們試著將更多面向融入展覽，把會員們因著疾病複雜交錯，密不可分的四種元素：汙名、日常、內在、社會處境，用多元的方式呈現，讓觀者可以更全面性的認識這個議題，而這個房間的意象並非純粹是個人的房間，而意指包含更大的社會環境與政策，同時也是策展者、觀展者的內在想法的相互映照，這樣的融合對於辦展團隊是艱鉅的挑戰，也是挑戰觀者能否負擔，牽引出心靈柔軟處與面對現實的種種限制，交織在展場中。

一、Ａ展區「看不見的圍籬」（媒體汙名區）

　　我們在活泉之家的精神疾病專業化小組，就曾經討論過台鐵殺警案，所以決定換位思考，讓觀者感受當社會事件發生時，許多新聞、網紅、網友留言，如同展覽佈置的眼睛，一個個注視著你，那樣的不友善，甚至是惡意的將所有生精神疾病的我們，視為是一個集體的罪惡，應該除之而後快，展場中加強了社會集體的凝視與壓迫，並在最後放上會員自己畫的面具，與訴說自己心聲的

文字，有無奈、傷心、畏縮、委屈、憤怒等等，希望觀者能真切地體會到，除了極少數犯下重案的精神病人，絕大多數努力抵抗疾病的人們，社會大眾的凝視對他們的影響是什麼。展覽一隅中呈現資深記者胡慕情的深入報導，

圖 10-3
Ａ展區會員創作：以有色的玻璃紙象徵社會汙名的凝視

將台鐵殺警案用多人視角去了解事件的整個脈絡，而不是只看結果去評斷，這是我們在這一區想提供給觀者，一個全新的看待事情的方法。

二、 B 展區「以生存為名的房間」（失序者的日常）

此展區以房間為主軸，以視覺效果立體化精神失序者的日常生活，四個房間主題分別為「阿災的房間—自傷」、「期待未來的房間—囤物」、「忠於自己靈魂的房間—性與愛情」、「以生存為名的房間—妄想」，除了小霞的房間是期待未來的房間（因為她沒有私人房間，目前是睡在客廳裡），其他人都是經過多次討論，凝聚出影響當事人人生重大的議題，再討論呈現手法跟製作，最後結合實際房間物品而完成。例如愛情與性的主題，筆者與房間主人「也先」不斷往返人生歷程的討論，但如何擷取重點，並在小小的空間用視覺呈現，讓觀者在幾分鐘內就可以進入也先的世界，著實讓我苦思許久，最後決定在房間放置「旗袍」，代表她三段沒有結果且令她痛苦一生的愛情，再搭配她苦於多年情慾無法獲得滿足，為解放自己而書寫的情色文學，最後加上她也先曾分享，有時在半夜最孤寂時，曾有寫書法到墨氣淋漓的高峰經驗，這也成為她獲得高潮的方式之一。

三、 C 展區「門縫裡的風景」

此區訴說的是精神失序者的內在世界，這個展區是關於一些我們嘗試打開的生命縫隙，或許與精神疾病有關，但卻不見得直接與精神疾病相關。這個展區分別由時常參與「開放畫室」課程的 8 位創作夥伴，呈現以下八個主題：「盼望」、「徘徊」、「牽絆」、「放棄」、「回憶」、「遺棄」、「兩面的自己」、「安全的角落」，看見這些主題，讓你想起些什麼？是否有些熟悉或是似曾相似？也或許，你的生命中，曾經出現相關的故事或記憶？這些主題，來自一邊畫畫，一邊寫字，一邊說說話，隨著時間過去，每個夥伴的畫和字，累積而成的足跡，當回頭去看，才發現：原來每一個人的畫作，都在不知不覺、沒有預期與預設的過程裡，自發地慢慢長出來，一份內在的關注，長出一整片，相連綿延的風景，成為一系列的主題畫作。

我們邀請觀者若感受到些許相似的生命樣態時，在現場用繪畫的方

圖 10-4　C展區會員八個主題創作：「盼望」、「徘徊」、「牽絆」、「放棄」、「回憶」、「遺棄」、「兩面的自己」、「安全的角落」

式表達當下感受，分享並一起展出。來自 8 位創作者經歷各種階段生命幽谷及體悟之下的創作，乍看之下似乎是對於未來的期待與希望，但細看就會發現：因著疾病身分而如影隨形的醫療人生，從中有痛苦、有不甘心，但也有人因此長出很細膩的人生體悟與觀察。例如，小暗的主題「徘徊」，就是自我認同的不斷分辨與探問，小暗大學剛畢業時，一開始以身心障礙者身分在身心障礙職業重建系統中好不容易媒合到工作，但仍因主管、同事不理解自己的精神狀態而離職，後來改用隱藏身分找一般性職缺，小心翼翼的她也被老闆懷疑是精神疾病而被刁難。是否使用病人的身分求職一直困擾著她，然而不論是哪個身分，重點是找到工作就是拾起尊嚴，但不論她怎麼嘗試都沒有善果，她在展覽中用畫作呈現這個歷程，並以文字表達「我既不是精神病人，也不是正常人，我就是我自己。」

四、D展區是「找不到回家的路」

　　我們從媒體汙名、部分社會大眾不理解的眼光帶大家走進展場，穿過精神病人的日常，了解到即使他們有著不同於常人尋常的生活方式，也是一種生活型態，再進到門縫裡的內心世界，能與相似的心情相遇，最後我們回到現實生

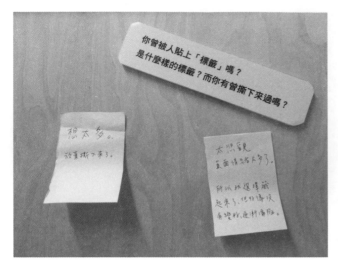

活，看看精神疾病經驗者身處在什麼樣的體制中。在 D 展區後半段中呈現五個房間，分別陳述不同主題：「迷思與偏見」、「人生失序圖」、「工作的困境」、「住院探視權」、「社區抗爭與資源不足」。「迷思與偏見」是讓觀眾很有感受及留言回饋很多的一區，而這非常出乎意料，在各種迷思紙條下，觀者可以自行留話，例如：一張紙條寫著「會生精神疾病就是抗壓性太低」，有人往下留話說「抗壓性再高，也會有爆發的一天，一位疾病當事人平日要受到的目光、質疑和否定遠遠比正常人多，其實抗壓性不高的是一直否定他的人」；另一個「人生失序圖」房間用很平實的口吻，敘說從感覺自己不太一樣，到以為接受治療後能知道發生了什麼事，卻不知不覺被貼上病人標籤，便再也脫不下來的心路歷程。人生失序圖每段敘說都會帶一個提問給觀者，有觀者回應：

「負面情緒太多了，我選擇藏起來，但好像沒有變好，逐漸沉淪。」

「一個人需要服用多少藥物，耗費多少心力，才有機會成為社會怪物中的『正常』？」

除此之外，更有觀眾說：「我是藥的容器」（紙張上面三個人寫「+1」），此張紙條再有人回應，「有時候我也是，但我們不只裝得下藥，也可以同時是食物的容器、愛的容器、悲傷的容器，我後來才知道，我也裝了好多東西」。

人生失序圖上觀眾的留言，讓大家對於「生病」、「失序」亦或「不一樣」，甚至某種自己都不見得能在此時此刻就理解的「自己」進行分享及對話，透過這樣的連結，每一個人的聲音被聽見了、被理解了，孤寂感就少了那麼一分，進而產生新的想法與答案。

「精神病人的房間」展覽，除了一開始提到企圖更全面、更完整與社會大眾討論這個題目，筆者跟會員們也同時在經歷相似的過程，在有限空間內，每個人想說的、想呈現的都不一樣，一再激盪、一再淬鍊，從日常的對話與累積中挖掘，什麼是我們共同想說的。展覽是要跟觀者發生連結，我們不要用控訴的方式去對峙，我們想用溫柔的方式，慢慢靠近跟促成對話，所以大量的留言區與互動設計，成為此次展覽的一大亮點，短短五天，湧入上萬的觀眾，有觀眾不惜排隊還要帶朋友來看，看到第二次甚至第三次，為的是看還有什麼新的觀眾留言，這是我們始料未及的情景，也帶給團隊很大的鼓舞。

文化賦權過程中的拉扯、抉擇與反思

一、決策機制是賦權的基礎，但在各種條件及考量下，參與決策仍不夠完整

在共同協作的精神下，活泉之家在策展過程中嘗試全程與會員共同討論與進行，但也發現這樣的做法需要花數倍的時間醞釀，所以每次規劃在 10 月舉辦展覽，大約在 5 到 6 月就要啟動第一次展覽主題發想討論會，動員有興趣的會員，大約開會兩到三次，決定當年度展覽要傳達的主要概念是什麼。例如，「主體·組體」就是概念跟主題名稱一起發想定案，但「飛向你·非向我」是在大文案確認後才決定名稱，而「精神病人的房間」，是我們第一次嘗試由筆者先決定名稱，再請會員蒐集對於展覽名稱的想法與意見，經過一段時間後，再回到工作者會議決議。之所以策劃「精神病人的房間」展覽會有這樣的不同做法，是從先前的經驗發現，會員個人的時間安排跟狀態差異性大，並非所有會員都一定能參與到每次會議，為解決每一次會議中彼此資訊落差大而導致重複討論的現象，也為求展覽與活泉之家的兩個深度參與的小組開放（畫室開放及精神疾病專業化小組）能更深入的連接在一起，會員也不用額外空出時間參與展覽會議，所以嘗試使用多層次

的方式進行決策討論。順帶一提，「精神病人的房間」B 展區，筆者也特意找了 4 位過去很不容易進到展覽會議，但同時他們的經驗或故事都很值得被認識的會員參與。而 D 展區以議題為主，也是以筆者為主要視角，選擇較容易與社會大眾連結的議題內容，結合會員親身經歷，由筆者整理文字完成。

整體來說，「飛向你·非向我」、「主體·組體」具有非專業策展但樸實的實驗性質，而「精神病人的房間」則是在過往辦展基礎下，結合會員參與和多種視角切入，因此其豐富性跟議題完整度更高，期待引起更多社會大眾關注精障議題，並嘗試提升整體效益，雖然減損會員在展覽中各階段重頭到尾皆參與的重要設定，但就結果面回看，參與到展覽「某部分」的整體會員數其實有變多，也確實達到過去無法碰觸到的觀眾群跟社會影響力。

以文化賦權的角度，我們不但達到對外界社會溝通與對話的目標，會員也從這樣的過程中得到激勵，可是有些目標仍舊在如期完成展覽的壓力與效率下被捨去，而這些其實是向內組織及凝聚社群主體的重要基礎。筆者進一步反思：即使參加完展覽，精神疾病經驗者在這個過程中，對自己的同儕社群更認識與認同了嗎？會員仍比較是透過筆者向外說話表達，筆者仍是代言者的角色，掌握了大部分的資訊及工作，因此仍是由筆者決定了方向，而這些筆者認為都將成精神疾病經驗者社群長出自身主體與文化認同的阻礙。

二、誰擁有「主體」的詮釋權？擺盪在賦權與效率整合之間

即便我們努力在策展過程中，尊重個體性差異，提煉出個人重要的歷程與故事，並且思考如何回應某些共有的經驗跟困境，然而當精神疾病經驗者的敘說轉譯成展覽的話語，是由誰來詮釋的呢？我們儘量保留會員原有的文字、思路還有他們要傳達的價值觀，可是我無法否定，這當中有著筆者的意志貫穿其中，不論是哪一次展覽，即使沒有策展人的名義，但主要的籌辦者或不同主題展區的主責工作者，都對整體展覽的風格與走向有相當程度的影響。然而，我們覺得這也是不可以完全捨去的，就像是任何藝術呈現，例如電影會有導演，若電影每個工作人員都是導演，電影也會四分五裂不成形。

　　倘若將活泉之家辦理展覽比喻成拍一部電影，我們企圖讓每個人既是演出者，又是製作團隊，甚至是未來會員也可以成為導演，我們在展覽籌備的過程，嘗試將某些會員培育成導演，同時尊重他們演譯自己故事的方式。然而會員受疾病的影響、生活各種條件的不足、能參與的時間不一，且尚在培養對外敘說及倡議的意願與敏感度等能力，因此無法全程參與及投入，但是展覽又迫切想要大眾易於理解時，筆者必須作為轉譯的角色，居中協調與溝通；我們不斷一次次的妥協跟嘗試，在賦權與有效率的整合之間擺盪。

　　精神病人的房間四個區域主題，是由筆者從日常生活汲取會員創作的故事主題、在專業服務場景裡看到的個人及社會處境、社會發展趨勢及社會對話條件等等判斷，設計出四個展區的概念，再與參與會員來來回回討論核對想法，去形成展覽的整體架構，可是筆者在其中還是掌握了最大的決策權及主導權，這不免與我們所設想的文化賦權有所落差，這也是我們認為要達到實質的文化平權裡最大的挑戰之一。

　　另外，一位藝術家朋友提到，有一天會員成熟到知道自己想要成為一位怎麼樣的展演者或創作者時，很可能就是某種思想意識跟話語權角力的開始，這也代表了會員需要有相應的責任承擔，若越來越有獨立意識跟承擔，並也有相對能力的會員，我們也必須隨之改變，也要有心理準備會員會離開，開創自己想走的路，其實這是我們樂見的。我們也希望有一天，展覽是完全由會員一手包辦。

三、匿名、具名或其它？展覽的倫理考量

　　在倫理上，我們在意每位會員有沒有充分的知道自己將如何被呈現跟觀看，所以包含展覽名稱、整體呈現的意涵、文字，都會讓大家充分的了解，再讓會員決定是否要成為這個展覽中的一份子。例如，我們在會議中或個別詢問會員是否願意現身，當中還有許多細微的考量，包含是否用真名，若用化名但她還是希望出現但半隱藏在展場中，那我們就要用不同的名字在展場中稱呼等等。若會員有擔心或不確定，我們覺得彼此討論想法是重要的，即使結果是當事者還是先保留不參加，這個討論的過程也具有意義，或許下一次的展覽中，他的想法將有所轉變，我們都保留這些流動的可能性。

四、靠人還是靠己？社工策展優勢及劣勢？

在 2017 年、2018 年活泉之家內部空間辦展時，辦展的目標較多是與會員共同經歷這個過程，激盪想法，如何用大家期待、能力所及的方式呈現，在過程中團體追求共同完成一項目標，共同相處及磨合，並相互交流學習彼此的想法及做法。而「精神病人的房間」中，因應想要呈現的內容更豐富多元，互動設計跟視覺效果也期待更能引發觀眾有感，為符合這些需求，我們發現很需要策展技術的知能跟經驗，以應付各種條件的設計與呈現，然這次礙於未能事先考量周詳，我們在經費、人力與策展技術都相當勉強，幸虧有得力志工的協助跟支援，以及工作人員偕同會員們奮力的嘗試，最後還能盡可能地呈現，實非不易。

由社福單位實務工作者辦展的強項在於我們對於會員的故事相當熟悉，且有日常相處培養出的默契跟信任度，是讓會員願意現身展場的主因，而創作出來的圖文創作也能長時間的修整，完成度更高，從日常生活中抓取的小細節，都可能成為展覽素材，呈現的樣貌與內容更貼近當事人主體。然而，實務工作者必須同時應付策展規劃的複雜工作，同時要顧及與會員之間的互動以及時效的壓力，兩者之中可能會傾向完成事務性工作為優先，這是非常可惜的狀態。所以回頭反思，我覺得團隊在展覽前期，需要思考清楚究竟展覽最重要的目的為何，是會員們的參與磨合？還是以觀眾為對象，用社會大眾最能理解的語言跟呈現方式？展望未來，若希望達成上述兩個目標，那目前活泉之家的經費、人力以現有的條件是不足的，也需要再借重藝術家或相關策展專業人員來達到展覽的專業性或美學，也是另一個需要磨合的新挑戰。

參考文獻

邱大昕，2011。誰是身心障礙者一從身心障礙鑑定的演變看「國際健康功能與身心障礙分類系統」（ICF）的實施，社會政策與社會工作學刊，15（2）：187-213。

李奕萱，2018。「守語者」談聾人文化：聾人不是失去聽，而是得到手語。NPOst 公益交流站。https：//reurl.cc/GmXMLD。瀏覽日期：2021 年 3 月 1 日。

中華民國文化部，2017。文化平權。www.moc.gov.tw/content_413.html。瀏覽日期：2021 年 3 月 1 日。

國家圖書館出版品預行編目資料

當我們同在一起：博物館友善平權實踐心法 = We are
here in museums : practice of accessibility and social
inclusion / 林頌恩, 袁緒文, 陳彥亘, 蘇慶元, 鄭邦彥, 辛
治寧, 羅欣怡, 趙欣怡, 陳詩翰, 廖福源, 吳家琪作 ; 陳佳
利主編. -- 初版. -- 臺北市 : 藝術家出版社, 2022.07
190 面 ; 17X24公分. -- (博物館學系列叢書 ; 2)
ISBN 978-986-282-293-7(平裝)

1.CST: 博物館學 2.CST: 博物館 3.CST: 文集

069.07   111004227

博物館學系列叢書 2

當我們同在一起：
博物館友善平權實踐心法

We are Here in Museums:
Practice of Accessibility and Social Inclusion

主編：陳佳利

作者：林頌恩、袁緒文、陳彥亘、蘇慶元、鄭邦彥、辛治寧
羅欣怡、趙欣怡、陳詩翰、廖福源、吳家琪

總 編 輯	林詠能
執行編輯	陳諾、林思嘉、王譯慧、葉家妤
美術編輯	藝術家出版社
出 版 者	藝術家出版社
	臺北市金山南路（藝術家路）二段 165 號 6 樓
	TEL：（02）2388-6715 ～ 6
	FAX：（02）2396-5707
策　　劃	中華民國博物館學會
理 監 事	蕭宗煌、洪世佑、陳國寧、王長華、吳淑英、賴瑛瑛、徐孝德、辛治寧、林詠能、李莎莉
	陳訓祥、曾信傑、游冉琪、劉惠媛、謝佩霓、羅欣怡、陳碧琳、賴維鈞、如　常、林秋芳
	陳春蘭、劉德祥、徐天福、蕭淑貞、岩素芬、何金樑、吳秀慈、林威城
贊助單位	富邦藝術基金會
編輯委員	林詠能、施承毅、徐典裕、陳佳利、陳尚盈、曾信傑（依筆劃）
郵政劃撥	50035145 藝術家出版社帳戶
總 經 銷	時報文化出版企業股份有限公司
	桃園市龜山區萬壽路二段 351 號
	TEL：（02）2306-6842
製版印刷	鴻展彩色製版印刷股份有限公司
初　　版	2022 年 7 月
定　　價	新臺幣 380 元
I S B N	978-986-282-293-7(平裝)

法律顧問　蕭雄淋